D1071023

Per Mollerup

Godt nok er ikke nok
Betragtninger om offentlig design

Good Enough is not Enough
Observations on public design

Dansk Design Center
Danish Design Centre

Per Mollerup
Godt nok er ikke nok
Good Enough is not Enough

Udgiver/Publisher:
Dansk Design Center
Danish Design Centre
H.C. Andersens Boulevard 18
DK-1553 Copenhagen V
Denmark

ISBN:
87-87385-13-9

Oversættelse/Translation:
Margaret Malone

Design:
Per Mollerup/
Designlab

Farvereproduktion/Colour repro:
HighTech PrePress A/S

Tryk/Printing:
L. Levison Junr. a-s

Indbinding/Binding:
Chr. Hendriksen & Søn A/S

Per Mollerup

Godt nok er ikke nok

Betragtninger om offentlig design

Good Enough is not Enough

Observations on public design

Dansk Design Center
Danish Design Centre

Forord
Preface

Bogens titel, Godt nok er ikke nok, sammenfatter bogens budskab, nemlig en opfordring til højnelse af kvaliteten af offentlig design.

Baggrunden er åbenbar: Offentlige ydelser beslaglægger en betydelig del af vort produktionsapparat, henvender sig til snart sagt alle, og er af væsentlig betydning for modtagernes ve og vel.

Bogen indledes med en afgrænsning/ præcisering af kategorien offentlig design. Det indledende afsnit har overskriften: Design for alle.

Efter indledningen belyses bogens emne gennem 44 eksempler grupperet i tre afsnit: Byens møblering, Persontransport, og Kommunikation.

De i bogen omtalte eksempler er ikke nødvendigvis paradigmer, løsninger til efterfølgelse, men er ofte lige så meget spørgsmål som svar.

The title, Good Enough is not Enough, sums up the message of the book; it is a summons to raise the quality of public design.

The reason is simple: Public services appropriate a significant portion of our production apparatus, are aimed at almost everybody and are of vital importance for the recipients' well-being.

The book begins by delimiting the category of public design. The title of the introductory section is: Design for all.

After the introduction, the subject of the book is illustrated by means of 44 practical examples grouped in three sections: City furniture, Passenger transport and Communication.

The examples in the book are not necessarily paradigms, solutions to be followed; as often as not they are questions as well as answers.

Per Mollerup
Valby Bakke, 1992

Indhold
Contents

Design for alle
Design for all

Design is a social language,
a way to talk about life.
Ettore Sottsass, Jr.

Offentlig design

Ved en overfladisk betragtning forekommer det naturligt at sætte lighedstegn mellem offentlig design og design i offentlige virksomheder, dvs virksomheder ejet af det offentlige. Så er design hos DSB, P&T og Esbjerg Kommune offentlig design, mens design hos DFDS, Superfos og Spies Rejser ikke er det. Den offentlige virksomhed har en forpligtelse til at betjene sit publikum, den private ser det som en forretningsmulighed.

Denne afgrænsning af kategorien offentlig design stiller krav om hurtig omstillingsevne i lande og perioder, hvor privatisering gøres til politisk/økonomisk styringsværktøj, og offentlige virksomheder sættes på aktier og til salg.

I forvejen er det en kendsgerning, at forretningsområder, som i ét land er overladt til kræfternes frie spil, i et andet land kan varetages af det offentlige. I Sverige har staten således påtaget sig at sikre befolkningens forsyning af alkoholholdige drikke, nemlig gennem AB Vin & Sprit. Det gør ikke nødvendigvis cognacemballager til offentlig design.

Offentlig design er almindeligvis design i offentlige virksomheder, men ikke altid. Offentlig design kan forekomme i den private sektor, og der kan forekomme design i den offentlige sektor, som ikke rigtigt kan siges at være offentlig design.

Vigtigere end ejerskabet i den producerende virksomhed er ydelsernes art og relationen til brugerne, når det gælder en afgrænsning af kategorien offentlig design. Offentlig design er design af offentlige ydelser.

Public design

Examined cursorily, it seems natural to regard public design and design in public enterprises - i.e. enterprises owned by the authorities - as one and the same thing. Thus design at the Danish State Railways, the Post Office and the municipality of Esbjerg is public design, while design at private enterprises such as DFDS, Superfos and Spies Travel is not. The public enterprise is obliged to serve its public while the private enterprise sees it as a business opportunity.

This delimitation of the category of public design demands the ability to readjust quickly in countries and in periods of time where privatisation has become a means of political and economic control and shares are sold in public enterprises.

It is a fact that areas of business which in the one country are regulated by means of laissez-faire, can be looked after by the state in another country. Thus in Sweden the state has taken over the responsibility for ensuring that the population is supplied with alcoholic beverages through AB Vin & Sprit, the State monopoly. This does not necessarily turn brandy containers into public design.

Usually but not always, public design is design in public enterprises. There can be public design in the private sector and there can be design in the public sector that cannot properly be said to be public design.

The nature of the services and their relation to the users is more important than who owns the producing enterprise when it comes to delimiting the category of public design. Public design is design of public services.

British Library under ombygning. London, GB.

British Library during a reconstruction. London, GB.

Offentlige ydelser

Offentlige ydelser er ydelser, der anses at være så væsentlige, at produktionen af dem ikke udelukkende eller overhovedet kan overlades til privat initiativ. Når produktionen af offentlige ydelser lejlighedsvis sker i den private sektor, sker den som regel under betydelig offentlig regulering.

Offentlige ydelser ligger typisk inden for områder som drift og vedligeholdelse af infrastrukturen og sundheds-, social- og skolesektoren. Karakteristisk for ydelserne er, at de ofte er gratis for brugerne og ellers ofte udbydes i en mere eller mindre monopolistisk situation.

Hvad enten der er tale om skattefinansierede eller om brugerbetalte ydelser, har betalerne traditionelt lagt snævre grænser for ydelsernes kvalitet. Offentlige ydelser skal være i orden, men ikke overdrevet meget. Toget skal køre til tiden, og det skal byde på en vis komfort, men ikke for megen. De, der skal betale, er jo mere eller mindre tvunget hertil, hvad enten de så er skatteydere og/eller passagerer.

Den offentlige producent af offentlige ydelser har typisk haft færre frihedsgrader end sin private kollega. Offentlige ydelser er en forbandet udgift, private ydelser er sund produktion, ironiserede John Kenneth Galbraith i Det rige samfund.

Offentlige ydelser er ofte serviceydelser, der nok er usynlige per se, men hvor produktionsapparatet og kommunikationen omkring dem er overordentligt synlige og oplagte mål for design.

Public services

Public services are services which are regarded as being so vital that their production cannot exclusively, or at all, be left to private initiative. When from time to time public services are produced in the private sector they are usually subject to extensive public regulation.

Public services are typically to be found in areas such as the running and maintenance of the infrastructure as well as the health, social and education sectors. It is a feature of these services that they very often cost the users nothing and otherwise are often offered in the form of a monopoly.

Whether it is a case of tax-financed or user-paid service, traditionally those who pay have set strict limits to the quality of the services. Public services should be in order but not exaggeratedly so. The train should be on time and of a certain level of comfort but not exaggeratedly so. Those who have to pay are more or less being forced to do so whether they are tax payers and/or passengers.

The public producer of public services has usually had a lesser degree of freedom than his private colleague. In The Affluent Society, John Kenneth Galbraith said ironically that public services are a damned expense, private services are sound production.

Public services are often services that per se are invisible but where the production apparatus and the communication about them are extremely visible and obvious subjects for design.

**IC3,
ABB Scandia/
DSB, Danske
Statsbaner, DK.
Design:
Niels Tougaard,
Jens Nielsen
et al.**

**IC3,
ABB Scandia/
DSB, Danish State
Railways, DK.
Design:
Niels Tougaard,
Jens Nielsen
et al.**

Brugerne

Ingen kan leve i et moderne samfund uden at gøre brug af offentlige ydelser. Bredden af brugergruppen er dermed betydelig og omfatter en hel del flere end den gruppe af økonomisk og på anden måde velstillede borgere, som erhvervslivet fortrinsvis bejler til.

Børn og gamle, syge, fysisk og mentalt handicappede og mindrebemidlede er alle brugere, ikke sjældent stor-brugere, af offentlige ydelser. Det stiller berettigede krav om bred anvendelighed.

Hvor offentlige ydelser både produceres af offentlige og private virksomheder, for eksempel inden for sundhedssektoren, er brugerens valg hyppigt mere teoretisk end reelt. Ofte vil såvel ydelsens direkte pris som andre økonomiske omstændigheder henvise mindrebemidlede grupper til de offentlige ydelser.

The users

Nobody can live in a modern society without making use of public services. In this way the user group is extremely broad and includes many more people than the group of citizens who are privileged, economically and in other ways, and whose favours trade and industry try to win.

Children and the elderly, the sick, the physically and mentally handicapped and the less well-off, are all users of public services, frequently to a high degree. They present public services with a broad range of needs.

When public services are produced by both public and private firms, in the health sector for example, the users' freedom of choice is often more theoretical than real. Very often the direct price of the service and other economic circumstances will force the less well-off groups to use the public services.

**Calle dei morti,
De dødes stræde.
Venezia, I.**

**Calle dei morti,
Mews of the
dead.
Venice, I.**

Konkurrencen

Et ofte fremført synspunkt går på, at offentlige virksomheder og dermed producenter af offentlige ydelser i kraft af deres mere eller mindre monopolistiske situation ikke behøver at udvise konkurrencepræget adfærd. Godt nok er nok. Mere end godt nok er for meget.

Den holdning har på det seneste måttet vige til fordel for en erkendelse af, at et eventuelt monopol på den ene side ikke giver en producent af offentlige ydelser ubegrænsede rettigheder, og at det på den anden side ofte er så som så med monopolstillingen.

Almindelig oplysning i samfundet og øget interesse for det offentlige liv gør, at offentlige virksomheder og andre producenter af offentlige ydelser må fremvise servicepræget adfærd. Sproglige nydannelser som skrankepave og papirnusser er først og fremmest udtryk for visse avisers og politikeres populistiske markedsføring, men afslører bag det en dyb frustration over borgernes magtesløshed over for det offentlige. Både virksomhedernes ansatte og politikerne er følsomme over for den slags kritik.

Mens et monopol i økonomiske lærebøger optræder som en idealiseret situation, hvor der kun er én udbyder af et bestemt produkt, er virkeligheden som hovedregel en anden. Kun de færreste varer eller ydelser kan ikke substitueres. Selvom DSB har eneret på togtrafik mellem København og Århus, er DSB alligevel i konkurrence. Mange har mulighed for i stedet at rejse med fly eller bil. Endelig kan nogle vælge at blive hjemme og anvende deres disponible indkomst på en anden måde.

The competition

A point of view often put forward is that because of the monopoly they more or less have, public concerns and thus the producers of public services do not need to behave in a competitive way. Good enough is enough. More than good enough is too much.

Lately this attitude has had to give way to a recognition of the fact that in the first place no monopoly grants the producer of public services unlimited rights, and in the second place, the monopoly is not a real monopoly at all.

The general level of information in society and increased interest in public life result in the fact that public concerns and other producers of public services must prove that they are service minded. Neologisms such as the colourful Danish words for petty official and pen pusher, while primarily an expression of the populism of certain newspapers and politicians, reveal deep frustration as regards the helplessness of the individual citizen vis à vis the authorities. Both the staff of these public concerns and the politicians are sensitive to this type of criticism.

While a monopoly in economic textbooks is an idealized situation where there is one and only one producer of a certain commodity, reality is usually otherwise. Very few goods or services cannot be substituted by something else. Even though the Danish State Railways has a monopoly on the train traffic between Copenhagen and Århus, it still has to compete. There are many people who can fly or go by car if they wish. Some can even choose to stay at home and spend their disposable income on something else.

Også kommuner er i konkurrence. Selvom de har et geografisk monopol, må de konkurrere med resten af landets kommuner. Om skatteydernes valg af kommune, om private virksomheders placering, om statsvirksomheders placering, om statslige investeringer, og om meget andet.

Skønt de fleste producenter af offentlige ydelser er baseret på et element af monopol eller tvang over for brugerne, kan det sammenfattende siges, at de endda befinder sig i konkurrence og alene af den grund har behov for at udvikle deres produkt så godt som muligt. Godt nok er ikke nok.

The municipalities also have to compete. Even though they have a geographic monopoly they have to compete with the other municipalities in the country in matters such as the tax payers' choice of municipality to live in, where private firms choose to establish themselves, where public concerns establish themselves, state investment and much more.

Even though most producers of public services are based on an element of monopoly or necessity in relation to the users, it may be concluded that they have to compete and that this fact alone means that they have to develop their product as well as they can. Good enough is not enough.

Subway indgang.
New York, US.

Subway entrance.
New York, US.

Design management

For producenten af offentlige ydelser er design en naturlig konkurrenceparameter, der dels kan forbedre produktet, dels kan styre virksomheden.

Design betyder udformning af menneskeskabte genstande. Sædet i toget, bakken med mad på hospitalet og selvangivelsesblanketten er alle designet. Hvis sædet er ubehageligt, bakken for glat og blanketten uforståelig, er der basis for designforbedringer. Brugsgenstande skal være funktionelle.

De fleste offentlige ydelser kan udformes på mange måder og endda være funktionelle i snæver teknisk forstand. Et hospital kan designes, så det ligner en militær forlægning, eller et sted hvor man er syg, eller et sted hvor man bliver rask. Hvilken model der vælges, er et spørgsmål om design management.

Design management handler om at styre en virksomheds design ressourcer. Hertil hører både at forbedre produktet i teknisk forstand og at bruge design som et kommunikationsmiddel, der fortæller ansatte, kunder, politikere og andre om virksomhedens idé, intentioner og kompetence.

Design management er en ledelsesdisciplin med bud til alle producenter af offentlige ydelser.

Design management

To the producer of public services, design is a natural parameter of competition which on the one hand can improve the product and on the other guide the activity.

Design means the shaping of objects created by human beings. The seat in the train, the food tray in the hospital and the tax return form have all been designed. If the seat is uncomfortable, the tray too slippery and the form incomprehensible, there is a basis for improving the design. Articles for everyday use should be functional.

Most technical services can take many forms and still be functional from the purely technical point of view. A hospital can be designed so that it looks like a military camp, or a place to be ill in, or a place where one gets well. Choosing the model is a matter of design management.

Design management is about controlling the design resources of a given firm. To this area belong both improving the product technically and using design as a means of communication that can tell staff, clients, politicians and others about the firm's idea, intentions and area of competence.

Design management is a management discipline with a message for all producers of public services.

Et hospital kan designes på mere end én måde. Rigshospitalet. København, DK.

A hospital can be designed in more than one way. Rigshospitalet. Copenhagen, DK.

Byens møblering
City furniture

Always design a thing by considering it in its next context - a chair in a room, a room in a house, a house in an environment, an environment in a city plan.
Eliel Saarinen

Byens gulv

Gulvet er et overset og misrøgtet element i byens rum. Langt værre end på landevejene, hvor både udlægning og nedslidning foregår mere industrielt så at sige.

Tingenes dårlige tilstand skyldes dels kortsigtede økonomiske hensyn dels almindelig slendrian i den offentlige forvaltning. Lappeskrædderi med asfalt synes at være svaret på hvilket som helst problem i denne vigtige del af infrastrukturen.

Engang har gadens og pladsens belægning dog været ét blandt andre arkitektoniske virkemidler, der både opfyldte et behov og udtrykte en hensigt. Gadens belægning var ikke bare bunden af alting, men et veritabelt kommunikationsmiddel. Flade, pænt tilhuggede og senere slidte sten fortalte, hvor man skulle gå. Toppede, utilhuggede sten fortalte, at man nærmede sig husrækken eller rendestenen. Man læste byens arkitektur gennem skosålerne. Samtidig dannede de små enheder en harmonisk helhed og absorberede mindre sætninger langt bedre end vore dages orgier i asfalt og beton.

Kunstneren Gunnar Aagaard Andersen talte forgæves om byens vandrette kunstværker, men måske har de små enheders belægninger, sten, klinker og fliser alligevel en fremtid i byen. Anvendt med omtanke kan byens gulv bidrage til en modus vivendi mellem gående og kørende fodgængere og fjerne grundlaget for kommunalpolitikernes tarvelige gågader.

The city floor

The floor is an overlooked and neglected element in the space of the city. It is far worse than on the trunk roads where, so to speak, paving and wear and tear take place in a more industrial manner.

This bad state of affairs is partly due to short-sighted economic considerations and partly to the ordinary lackadaisical attitude of the public administration. Patching with asphalt seems to be the answer to each and every problem in this vital part of the infrastructure.

However, at one time the paving of street and square was one of many architectural devices that fulfilled a need and expressed an intention at one and the same time. The paving of the street was not just below and the lowest of everything but a veritable means of communication. Flat, beautifully dressed and, later on, worn cobblestones showed where one should step. Pointed, undressed cobblestones indicated that one was approaching a row of houses or the gutter. One could read the architecture of the city through the soles of one's shoes. At the same time the small units formed a harmonious whole and could absorb minor subsidences far better than our modern orgies in asphalt and cement.

Gunnar Aagaard Andersen, the artist, spoke in vain about the city's horizontal works of art, but the small paving units, cobblestones, clinker and tiles, may have a future in the cities all the same. Used with care the city floor can contribute to a modus vivendi between walking and driving pedestrians and remove the basis for the miserable pedestrian precincts of local politicians.

Kirketorvet.
Hobro, DK.
Design:
Kasper Heiberg
og Erik Heide.

Kirketorvet.
Hobro, DK.
Design:
Kasper Heiberg
and Erik Heide.

Midt på pladsen

For nogle år siden foreslog Piet Hein, at Rådhuspladsen i København blev udstyret med et monument - midt på pladsen. Et stort areal identificeres lettest med et punkt, akkurat som et kongerige identificeres med sin monark, mente Piet Hein. Et monument på midten af Rådhuspladsen ville være en psykologisk lettelse for brugerne.

Rådhuspladsen rummer i virkeligheden allerede et antal skulpturer af forskellig slags, omend ikke lige på midten. Ellers ville pladsen have udgjort en absolut undtagelse. En voldsom agorafobi, angst for åbne pladser, har i dette århundrede fået politikere og planlæggere til at deployere én eller anden form for kunstværk på stort set hver eneste plads i hver eneste by i Danmark.

Andre steder, f eks i Sydeuropa, klarer pladser sig ofte med ingenting, eller et par træer.

In the middle of the square

Some years ago Piet Hein proposed that a monument be placed right in the middle of the Town Hall Square in Copenhagen. In his opinion a large area is mainly identified by a point, just as a kingdom is identified by means of its monarch. A monument in the middle of the Town Hall Square would be a psychological relief for the users.

The Town Hall Square actually contains a number of different kinds of sculptures - although not right in the middle. Otherwise the square would have been an absolute exception. In this century, severe agoraphobia, fear of open spaces, has caused politicians and planners to deploy some kind of work of art in almost every square in every town in Denmark.

In other countries, for instance in Southern Europe, squares often get by with nothing, or a couple of trees.

Venezia, I.

Venice, I.

Vandveje I

Der var engang, da godt drikkevand og ren luft var i den grad selvfølgeligheder, at de i økonomiske lærebøger blev omtalt som frie goder, modsat knappe goder, hvorom al økonomi drejer sig.

Sådan er det ikke mere. I Tokyo er der opstillet automater med frisk luft, og andre steder skønner man på det, hvis ens by har godt drikkevand.

I Zürich har man både rent og velsmagende drikkevand, og dertil bronzefontæner opstillet af Wasserversorgung Zürich på byens pladser.

Ud over kummen med det rene vand i menneskehøjde har drikkefontænerne som særlige sidegevinster en lille hylde til at stille tasken eller sidde på, og længere nede en skål med vand til menneskets bedste ven.

Videre, og måske vigtigst, giver fontænen bag en låge adgang til Zürichs alternative vandforsyning. I tilfælde af svigt i det almindelige system har hver Zürich-borger ret til hver dag at hente femten liter vand ved fontænen.

Waterways I

There was a time when good drinking water and clean air were so much a matter of course that economic textbooks called them free benefits as opposed to scarce benefits which all economics are about.

This is no longer the case. In Tokyo there are fresh air dispensers and in other places people really appreciate if their town has good drinking water.

In Zurich the water is both clean and delicious and for it there are bronze fountains erected on the squares of the city by Wasserversorgung Zürich.

Apart from the basin with the clean water at a human height, as side attractions the drinking fountains have a little shelf to put one's bag on or sit on and further down a bowl of water for man's best friend.

Furthermore, and perhaps most important, behind a hatch the fountain provides access to Zurich's alternative water supply. If the ordinary system breaks down every citizen of Zurich has the right to draw fifteen litres of water a day from the fountain.

Drikkefontæne.
Zürich, CH.
Design:
Alfred Aebersold.

Drinking fountain.
Zurich, CH.
Design:
Alfred Aebersold.

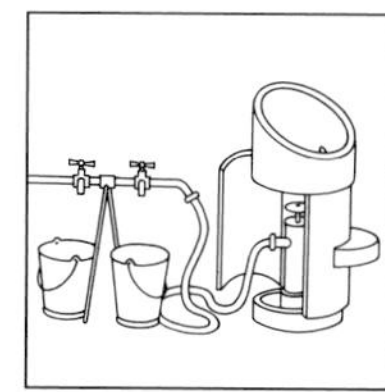

Et alternativt
system for
vandforsyning.
Zürich, CH.

An alternative
water supply
system.
Zurich, CH.

Vandveje II

Udviklingen af offentlige toiletter har været præget af indbyrdes modstridende hensyn. På den ene side ønsket om hygiejne og dermed et stort antal rimeligt iøjnefaldende offentlige toiletter. På den anden side ønsket om smagfulde omgivelser og dermed diskret anbragte offentlige toiletter.

I København har sidstnævnte synspunkt især været repræsenteret ved Foreningen til Hovedstadens Forskønnelse, der i mere end ét tilfælde har fået omtalte etablissementer forvist til under jordens overflade. 'Den underjordiske' er blevet synonym for et offentligt toilet.

Den kendsgerning, at især mænd drikker meget øl, når de er i byen, har undertiden inspireret planlæggerne til partialløsningen pissoir, hvor de så har søgt hensynene til det iøjnefaldende og til det skønne ligeligt tilgodeset ved kunstfærdig design.

I Paris og en række andre europæiske metropoler har en driftig forretningsmand opstillet science fiction-agtige toiletkabiner, hvor et sindrigt system sikrer, at gæsten forlader etablissementet efter en vis periode, og at kabinen derefter effektivt desinficeres, inden der meldes 'libre' til næste betalende gæst.

Waterways II

The development of public toilets has been influenced by conflicting considerations. On the one hand the desire for hygiene and thus a large number of rather noticeable public toilets, and on the other hand the desire for tasteful surroundings and therefore discretely placed public toilets.

In Copenhagen the latter viewpoint has mostly been put forward by the Society for the Beautification of the Capital. In more cases than one the committee has had the above-mentioned establishments banished under the surface of the earth. In Danish 'the underground' has become a synonym for a public toilet.

The fact that it is especially men who drink a lot of beer when they are out on the town has from time to time inspired planners to hit on the partial solution, the urinal, where they have tried to satisfy demands as to the noticeable and the beautiful by artful design.

In Paris and a number of other European metropoles a resourceful businessman has erected science-fiction like toilet cabinets where an ingenious system ensures that the guest leaves after a certain period and that the cabinet is then disinfected before the next paying guest can receive the 'libre' sign.

Privat, offentligt
toilet.
London, GB.
Design:
J C Decaux.

Private, public
toilet.
London, GB.
Design:
J C Decaux.

Pissoir.
København, DK.

Urinal.
Copenhagen, DK.

Hertil, ikke længere

De fleste elementer i gadens møblement har sideløbende med deres praktiske funktion en kommunikationsopgave, et budskab til byens brugere.

For pullertens vedkommende går den praktiske funktion og budskabet smukt op i en højere enhed. Budskabet lyder: Kør ikke ind her. Pullerten spærrer de facto vejen frem for biler.

Gode pullerter overgår de fleste skilte, både hvad effektivitet og harmoni i gadebilledet angår. Pullerter sætter magt bag budskabet og falder trods magtdemonstrationen stilfærdigt ind i omgivelserne.

Somme tider er opgaven at beskytte et hus eller en elefant mod anfald fra hurtigtkørende biler. Det sidste er tilfældet ved bryggeriet Carlsbergs Elefantport, hvor to gange tre pullerter i faldende størrelse holder passende afstand mellem biler og elefanter.

Thus far and no further

Most of the elements in the city's furniture, over and above their practical function, have a communicative function, a message for the users of the city.

In the case of the bollard the practical function and the message form a synthesis. The message is: Do not enter here. De facto, the bollard blocks the road for cars.

Both as regards effectiveness and harmony in the atmosphere of the street, good bollards surpass most signs. The bollard lends authority to the message and despite this demonstration of power falls quietly in with the surroundings.

Sometimes the task is to protect a house or an elephant from being attacked by fast-moving cars. The latter is the case at the Elephant gate of Carlsberg Brewery where two lines of three bollards in falling sizes maintain a suitable distance between cars and elephants.

Pullerter ved Carlsbergs Elefantport. København, DK.

Bollards at Carlsberg's Elephant gate. Copenhagen, DK.

Pullert ved Landbohøjskolen. København, DK. Design: Mogens Koch.

Bollard at the Royal Veterinary and Agricultural University. Copenhagen, DK. Design: Mogens Koch.

Til alle fem sanser

Blandt offentlige skulpturer indtager vandkunsten en berettiget særstilling med sin funktionelle oprindelse som drikkested, hvor den forbipasserende og måske hans hest kunne vederkvæges med godt vand.

Der er noget storslået over vandskulpturer, selv hvor det samme vand cirkulerer igen og igen. En vandskulptur illustrerer et vist overskud, psykologisk og på anden måde.

En rigtig vandkunst er et Gesamtkunstwerk, et multimedie-projekt, der ikke bare kan ses, men også føles, høres, sommetider smages, og måske lugtes, det sidste i den udstrækning vandet renser luften for biltrafikkens olfaktoriske udslip.

Alle fem sanser aktiveres på New Yorks 53rd Street, hvor der i en åbning mellem to huse er etableret en urban kaskade, Paley's Pocket, et veritabelt vandfald i metropolens stenørken.

For all five senses

The fountain has its quite justified special place among public sculptures with its functional origin as a drinking source where the passer-by and perhaps his horse could be refreshed with good water.

There is something monumental about water sculptures, even those where the same water continues to circulate. A water sculpture is a sign of reserves of energy, psychologically and otherwise.

A real fountain is a Gesamtkunstwerk, a multimedia project that not only can be seen, but also felt, heard, sometimes tasted and perhaps smelt, the latter to the extent that the water cleanses the air of the olfactory exhaust from cars.

All five senses are activated in Paley's Pocket on New York's 53rd Street where in an opening between two houses an urban cascade has been established, a veritable waterfall in the stony desert of the metropolis.

Design for fem sanser:
Paley's Pocket.
New York, USA.
Design:
Bob Zion.

Design for five senses:
Paley's Pocket.
New York, USA.
Design:
Bob Zion.

En social institution

En offentlig bænk er andet og mere end et siddeinstrument, den er en social institution, et mødested for borgere, der ikke behøver at have andet tilfælles end tid til rådighed.

Undertiden er offentlige bænke så vellykkede, at de vinder indpas i den private sektor. Det gælder den såkaldte Hyde Park bench, der markedsføres i mange lande.

Mens Hyde Park bench er helt af træ, foretrækker stadsarkitekterne ofte - med tanke på vedligeholdelsen - bænke med støbejernsgavle. København fik sine første støbejernsbænke med to vogngrønne træplanker til sæde og én til ryg allerede i 1887. De er stadig i brug.

A social institution

A public bench is much more than a place to sit, it is a social institution, a meeting place for people who do not need to have anything more in common than that they have time to spare.

Sometimes public benches are so well-designed that they gain a foothold in the private sector. This is the case with the so-called Hyde Park bench that is marketed in many countries.

While the Hyde Park bench is made entirely of wood, very often - for easier maintenance - city architects prefer benches with cast iron frames. Copenhagen got its first cast iron benches with two dark green wooden planks for the seat and one for the back already in 1887. They are still in use.

**Offentlige bænke,
Hyde Park.
London, GB.**

**Public benches,
Hyde Park.
London, GB.**

**Offentlige bænke,
Kongens Have.
København, DK.**

**Public benches,
Kongens Have.
Copenhagen, DK.**

**Offentlig bænk,
The Circus.
Bath, GB.**

**Public bench,
The Circus.
Bath, GB.**

Gå væk hund

I villa- og andre velhaver-kvarterer omkring storbyer forårsager menneskets bedste ven et irriterende problem i form af ubetænksomt anbragte efterladenskaber. Forretningsdrivende sikrer sig med gult gå-væk-hund pulver, og myndighederne forsøger sig med mere eller mindre truende skiltning.

Piet Hein beskrev med rim og klinisk præcision én side af sagen:

For mørke passerende
er det generende,
at hunde hm
ikke er fosforescerende.

Arkitekten Knud V. Engelhardt opfandt sin egen hunde-sikrede løsning, da han i 1923 vandt en konkurrence om plakatsøjler til Gentofte kommune.

Det nederste stykke af stilken på Engelhardts paddehatteagtige søjle har en konkav form, der effektivt fratager både små og store hunde lysten til at forrette deres nødtørft netop dér.

Go away dog

In residential neighbourhoods around the large cities, man's best friend often presents an irritating problem in the form of thoughtlessly placed droppings. Shopkeepers take care of the problem by sprinkling yellow go-away-dog powder outside their businesses and the authorities try to keep the streets clean by means of more or less threatening signs.

The architect, Knud V. Engelhardt, invented his own dog-safe solution when in 1923 he won a competition about advertising pillars for the municipality of Gentofte.

The lower part of the stalk of Engelhardt's mushroom-shaped pillar is concave, and this effectively discourages dogs, great and small, from performing right there.

Gør rent efter din hund.
New York, USA.

Clean up after your dog.
New York, USA.

Plakatsøjle.
Gentofte, DK.
Design:
Knud V. Engelhardt.

Advertising pillar.
Gentofte, DK.
Design:
Knud V. Engelhardt.

Et gastronomisk netværk

Københavns pølsemand, New Yorks pretzelsælger, ismanden på Venezias Lido og kastaniesælgeren i Paris udgør sammen med artsbeslægtede et verdensomspændende netværk af mere eller mindre mobile fast food distributører.

Gadesælgerne udgør et af de lavere niveauer i et hierarki, hvis top udgøres af restauranter med udenlandsk chef og stjernestatus. Største trussel for branchens nomader kommer imidlertid fra virksomheder et antal trin længere nede, nemlig kæder af typen McDonald's, Kentucky Fried og Pizza Hut.

Mens disse mega-kæder gennem deres visuelle og gastronomiske uniformitet sikrer, at ingen vejfarende behøver at føle sig hjemmefra noget sted på Jorden, er gadesælgernes tilbud ét hundrede procent vernakular, præget af stedet. Som oprindelig byggeskik og sprog er det kulinariske udbud tilpasset stedets særlige forudsætninger.

A gastronomic network

The Copenhagen sausage vendor, the New York pretzel seller, the ice-cream man on the Lido in Venice and the chestnut seller in Paris, together with their fellows, form a world-wide network of more or less mobile fast food vendors.

Street sellers form one of the lower levels of a hierarchy, at the top of which are restaurants with foreign chefs and star status. But the great threat to the nomads of the trade comes from places much further down, namely chains of the type of McDonald's, Kentucky Fried and Pizza Hut.

While these mega-chains ensure that no traveller needs feel far from home anywhere on earth through their visual and gastronomic uniformity, the street sellers' goods are a hundred percent vernacular, influenced by the place. Just like original building style and language, the culinary selection has emerged from the special characteristics of the place.

Pølsevogn.
København, DK.

Hot dog stand.
Copenhagen, DK.

Kiosk

Hakkelsen fra døgnets rejsestald, ugebladenes krænkelser af privatlivets fred, alverdens kolorerede månedsblade, trækningslister og diverse erotica.
Den velassorterede kiosk fører det hele og dertil et efter beliggenheden afpasset udvalg af postkort og turistlekture.

Kioskens vigtigste salgsparameter er sortimentets iscenesættelse, hvor varerne placeres som mere eller mindre iøjne-faldende sætstykker. Bladene med den største omsætningshastighed, kiosk-baskerne, placeres centralt, og de lidt tungere sager mere perifert. Særlig kostbare/attraktive publikationer finder deres plads bekvemt inden for kiosk-damens opsyn.

Kiosk

The rubbish from the travellers' stable of the day, magazines' invasion of privacy, all sorts of coloured monthlies, the pools and erotica of various kinds. The well-stocked kiosk has the lot in addition to a selection of postcards and tourist reading suited to its situation.

The kiosk's most important sales parameter is the staging of the stock where the goods are placed as more or less obvious set pieces in a small theatre. The magazines and newspapers which sell most quickly have a central placing, and the heavier goods are more on the periphery. Particularly attractive publications find their natural place within convenient sight of the kiosk attendant.

Kiosk.
København, DK.

Kiosk.
Copenhagen, DK.

Hvad nyt fra Rialto?

En trappe er et kommunikationsmiddel, et bindeled mellem oppe og nede. En lodret afstand opdeles i mindre dele, der forskydes vandret, hvorved den ellers uovervindelige højdeforskel udtrykkes i passende bidder.

Men den gode udendørs trappe er mere end elementær mekanik. Den er i sig selv en skulptur, der kan beses, betrædes og besiddes. Nok så mange velmente og velholdte offentlige bænke kan ikke udkonkurrere trappen som socialt samlingssted.

Hvad nyt fra Rialto? spørger Shylock i Købmanden fra Venedig. Det var fra broen, dvs trappen, over Canal Grande, at nyhederne blev kolporteret i Shakespeares Venezia.

What news from the Rialto?

A stairs is a means of communication, a link between up and down. A vertical distance is divided into smaller parts which are transposed horizontally, by means of which the difference in height, which is otherwise insurmountable, is expressed in suitable bits.

But the good outside staircase is more than elementary mechanics. In itself it is a sculpture which should be seen, trodden on and sat on. There are not many well-meaning and well-kept public benches that can beat the staircase as a social gathering point.

What news from the Rialto? asks Shylock in The Merchant of Venice. It was from the bridge, i.e. the stairs over the Canal Grande that news was spread in the Venice of Shakespeare.

Rialto broen.
Venezia, I.

The Rialto Bridge.
Venice, I.

Trappen som amfiteater, Metropolitan Museum.
New York, USA.

The stairs as amphitheatre, Metropolitan Museum.
New York, USA.

Telefonbokse i Paris, F, Bath, GB, Sapporo, J, London, GB, Berceley, USA, København, DK, Bath, GB, Sao Paulo, BR, Aspen, USA, Nykøbing Falster, DK, Bath, GB og New York, USA.

Phone boxes in Paris, F, Bath, GB, Sapporo, J, London, GB, Berceley, USA, Copenhagen, DK, Bath, GB, Sao Paulo, BR, Aspen, USA, Nykøbing Falster, DK, Bath, GB and New York, USA.

Den næstbedste løsning

Mens vi venter på hvermands personlige mobiltelefon, arbejder telefonselskaber verden over på at udvikle den ideelle telefonboks, der på den ene side byder den samtalende passende bekvemmelighed og på den anden side er sikret mod overdreven slitage, mod tyveri og hærværk.

Det er sidstnævnte del af design-opgaven, som volder de største kvaler. Hvordan kan man udforme en bekvem samtalestation, som samtidig virker afvisende på misbrugere?

I New York er én type telefonbokse reduceret til en metalæske omkring telefonen, som giver begrænset anledning til hærværk, men sandelig også begrænset komfort til den legitime bruger. Andre steder satser man på komfort og hyppig rengøring/vedligeholdelse.

The second best solution

While we are waiting for the advent of the personal mobile telephone for everybody, telephone companies all over the world are working on developing the ideal phone box which on the one hand offers the user suitable comfort and on the other hand is safeguarded against excessive wear and tear, against theft and vandalism.

The last-mentioned part of the design problem is the one which causes the most trouble. How can one design a comfortable conversation station which also repels vandals?

In New York some phone boxes have been reduced to a metal box around the telephone which probably reduces the temptation to vandalize but certainly also reduces the comfort of the legitimate user. In other places comfort and frequent cleaning/maintenance are the solutions preferred.

Phonecard
Telephone

TELEPHONE
TELEPHONE
TELEPHONE

Telephone
Telephone
BT

Phone

telefon

TELEPHONE
TELEPHONE
radi

Persontransport
Passenger transport

For my part, I travel not to go anywhere,
but to go. I travel for travel's sake.
The great affair is to move.
Robert Louis Stevenson

Orientering og oplevelse

I hierarkiet af offentlig vejskiltning udgør gadeskiltet det næstsidste led, kun efterfulgt af husnummeret. Til forskel fra motorvejsskilte, hvor den hurtige og præcise aflæsning dominerer alle andre hensyn, kan man ved gadeskiltet også forvente, at det afspejler genius loci, stedets ånd.

Stærke kræfter i Bruxelles arbejder på, at al offentlig design, fra Gibraltar til Skagens Odde, Grenen, skal være ens og helst kedelig. Ens rejsepas og kørekort er gennemført, bilnummerplader er på vej, og mere følger.

Men glæden ved at rejse er jo netop forskelle, ikke bare i natur, men også i materiel kultur. Professionelle chauffører skal nok finde vej, uanset hvad farve vejskiltet har, og for ferie-rejsende er forandringen selve oplevelsen.

Gadeskilte kan uden gene for vejfarendes orientering variere fra by til by og fra kvarter til kvarter i overensstemmelse med stedets byggeskik og karakter i øvrigt. Oplevelse udelukker ikke orientering, tværtimod.

I Bath i England er mange gadeskilte i harmoni med lokal byggeskik hugget i sten. Gadeskiltene danner en helhed, men indenfor den helhed er der betydelige variationer. Forskellige skriftsnit og forskellige stenhuggeres personlige stil gør Bath til interessant læsning. Baths gadeskilte kan ikke aflæses på stor afstand eller i høj fart, men det er der heller ikke brug for.

Orientation and experience

The street sign is the next to last step in the hierarchy of public road signs, followed only by the house number. In contrast to motorway signs where quick and easy reading takes precedence over all other considerations, one can expect street signs to reflect the genius loci, the spirit of place.

There are strong forces in Brussels to make all public design from Gibraltar to Skagens Odde, Grenen, the northernmost part of Denmark, uniform and preferably boring. Uniform passports and driving licenses have been achieved, number plates on cars are on the way and there is more to come.

But the joy of travelling is precisely the differences, not only in nature but also in material culture. Professional drivers find their way under all circumstances no matter what colour the road sign is, and for holiday-makers the difference is the experience itself.

Street signs can vary from town to town and from quarter to quarter in harmony with the building traditions of the place and its character in general, without causing the road-users to loose their way. Experience does not exclude orientation, on the contrary.

In Bath in England, in harmony with local building tradition, many street signs have been carved in stone. The street signs form a whole but within this whole there are significant variations. Different types of writing and different stone cutters' personal styles make Bath interesting reading. The street signs of Bath cannot be read at great distances or high speed, but then there is no need for that.

Huggede og malede gadeskilte. Bath, GB.

Carved and painted street signs. Bath, GB.

DANIEL-STREET.

SAINT JOHN'S
HOSPITAL

WESTGATE STREET

BANK
LLOYDS BANK

St. JAMES'S SQUARE.

GAY STREET

BURTON STREET
SABRE

HENRIETTA STREET

LANSDOWN PLACE EAST
TO LANSDOWN CRESCENT

LAURA PLACE
10

St MICHAEL'S PLACE

PLACE

Stoppested

Et stoppesteds raison d'être er at fortælle føreren og passagererne, hvor de kan mødes: her holder bussen eller sporvognen for af- og påstigning.

Ud over at løse denne minimal-opgave kan et stoppested gennem sin udformning bidrage mere eller mindre til at gøre den kollektive trafik attraktiv.

For eksempel kan stoppestedet yde publikum fornøden beskyttelse mod klimatiske ubehageligheder, og det kan rumme al den information, der er nødvendig for at orientere sig i en storby og udnytte dens kollektive trafik.

I Oslo har det lokale trafikselskab, Oslo Sporveier, indført et totalt design-program, omfattende blandt andet al visuel information. Programmet rummer flere typer af stoppesteder: væghængte skilte og halvtage, standere og egentlige læskure.

Skiltningen er baseret på skriftsnittet Frutiger, som også anvendes på busser og 'trikker' (sporvogne).

Bus stop

The raison d'être of the bus stop is to tell driver and passengers where they can meet: the bus or tram stops here for mounting and dismounting.

As well as fulfilling this minimal task, by its design a bus stop can contribute a lot or a little to making public transport attractive.

For example the bus stop can provide the public with the necessary protection from inclemencies of the weather, and it can contain all the information necessary to orient oneself in a large city and use its public transport system.

The local traffic company in Oslo, Oslo Sporveier has introduced a total design programme which includes all visual information. The programme includes many types of stops: stop signs hanging on walls and half-roofs, posts and real shelters.

The signs are based on the Frutiger typeface which is also used on buses and trams.

Grafisk design-program. Oslo Sporveier. Oslo, N. Design: Odd Thorsen.

Graphic design programme. Oslo Sporveier. Oslo, N. Design: Odd Thorsen.

Stoppested,
Oslo Sporveier.
Oslo, N.
Design:
Odd Thorsen.

Tram stop,
Oslo Sporveier.
Oslo, N.
Design:
Odd Thorsen.

Følg skiltene

Rejsende med fly er ofte en anelse nervøse og en hel del stressede. Af og til kommer de til lufthavnen i allersidste øjeblik, og somme tider kommer de fra et andet sprogområde. Alle disse forhold skærper kravene til den publikumsvendte skiltning i en lufthavn.

Det primære formål med skiltningen i en lufthavn er at fortælle de rejsende, hvordan de kommer fra ét sted til et andet, og løbende informere dem om, hvor de er. Et muligt sekundært formål er at bidrage til stedets identitet.

For at kunne løse den primære opgave må skiltene placeres der, hvor der er brug for dem, så behøver de ikke at kæmpe om opmærksomhed ved hjælp af opsigtsvækkende størrelse, farve eller typografi. Dernæst må skiltene være læselige. Størrelse og farvekontrast må være tilstrækkelig. Bogstaver, tal og andre tegn må være tydelige.

Videre må budskaberne være forståelige. Terminologien må være enkel og konsistent. Piktogrammer skal være forståelige og kun anvendes, hvor de forbedrer kommunikationen.

Skiltenes antal må begrænses. For mange skilte forvirrer. Til sidst kan man ikke se lufthavnen - ja ikke engang de nødvendige skilte - for skilte.

Endelig må officielle skilte kunne skelnes fra kommercielle skilte. Officielle skilte skal se officielle ud og afspejle et vist mål autoritet. Det betyder ikke, at alle offentlige skilte skal ligne fare-skilte. Tværtimod - de skal bidrage til en ikke-aggressiv atmosfære i aerodromen.

Follow the signs

Air passengers are often a bit nervous and quite stressed, and sometimes they get to airports at the last minute, often travelling between language areas. All this makes stiff demands on public signs at airports.

The primary function of these signs is to tell people how to get from one place to another, and to keep them informed of where they are. A possible secondary function is to contribute to the identity of the place.

To fulfil their primary task, signs must first be placed where they are needed, without having to be glaringly obvious in size, colour or typography to make sure people notice them. And then they must be legible, besides being adequate in size and colour; their letters, figures and other graphics must be clear.

Beyond that, what they say must be understandable. The terminology must be simple and consistent. If used, pictograms must be easy to understand, but should be used only to aid communication.

Signs must not be too numerous. Too many signs are confusing. If there are too many, half the airport - not to mention the vital signs - is hidden in the blur.

Finally, official signs must differ from commercial signs. What is official must look it, reflecting a certain authority. This should not be taken to mean that official signs should look like warnings of danger - on the contrary, they should contribute to an airport atmosphere that is unaggressive.

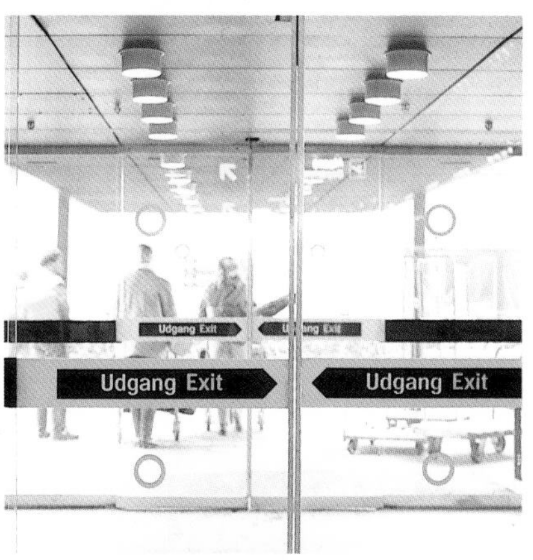

Skiltning i Københavns Lufthavn, DK. Design: Designlab.

Signs in Copenhagen Airport, DK. Design: Designlab.

Alting flyder

Vaporettoen er Venezias uovertrufne kollektive transportmiddel, der hurtigt, ikke for hurtigt, bringer fastboende og turister rundt i lagunen.

Selve vaporettoen er kun den mest bevægelige del af systemet. Lige så vigtigt er stoppestedet, der består af en ponton, som med en bro er forbundet med kajen.

Den flydende ponton har af naturlovlige årsager altid samme højde som vaporettoen, hvorfor barnevogne og andet rullende grej skubbes lige om bord. Niveauforskellen mellem ponton og kaj absorberes af broen, der er lang nok til, at hældningen aldrig bliver for stor. Pontonen er fortøjet ved et par duc d'alber og duver behageligt. Afgående passagerer venter bag en kæde, til ankommende passagerer er kommet ud.

Billetsalg foregår i land eller på pontonen. Et grafisk design-program, gule skilte med sort tekst, informerer med fornøden tydelighed om ruter, tider og priser.

Everything floats

Unrivalled as a means of public transport in Venice, vaporetti carry residents and tourists quickly - but not too quickly - along its waterways.

These vessels are merely the most mobile part of the system. No less vital, the stops are pontoons linked by a bridge or gangway to the quay.

The laws of nature determine that the floating pontoon is always the same height as the vaporetti, so prams and other wheeled gear can be pushed straight on board. The difference in level between the pontoon and quay is absorbed by the bridge which is sufficiently long to ensure that the slope is never too step. The pontoon is secured to a couple of dolphins and bobs pleasantly. Departing passengers wait behind a chain until arriving passengers have disembarked.

Tickets are sold on land or on the pontoons. A graphic design programme employs black text on yellow signboards to display information about routes, times and prices.

Vaporetto på Canal Grande. Venezia, I.

Vaporetto on the Canal Grande. Venice, I.

Kunsten og trafikken

Mennesket har to lige stærke tilbøjeligheder, fastslog den franske 1600-tals moralist, Jean de la Bruyère: den ene er trangen til gentagelse, den anden er trangen til variation.

De to tilbøjeligheder brydes på næsten alle livets områder, på den ene side holder vi af gentagelsen, vanen, traditionen, og på den anden side har vi en ubændig trang til oplevelse.

Spørgsmålet er, hvordan vi får både det ene og det andet. Sociologen Erik Høegh foreslog engang, at byens huse skulle bygges på en måde, så de drejede fem grader hver dag. Så kunne vi stadig finde hjem fra arbejde, men oplevelsen ville være ny.

I den virkelige verden deles opgaven mellem planlæggeren og kunstneren. Faggrænser og stillingsbeskrivelser må respekteres. Planlæggerne sørger for, at samfundet fungerer. Det giver rigelig anledning til gentagelse. Kunstneren får - gerne i sidste øjeblik - tildelt partiet som miljømekaniker, der med oplevelse dækker over planlægningens realiteter.

Men af og til går planlægning og kunst hånd i hånd. Der bliver plads til både børsen og katedralen.

Art and traffic

According to the 17th-century French moralist, Jean de la Bruyère, human beings have two equally strong inclinations: they hanker as much after repetition as after variation.

These opposed inclinations occur in almost all aspects of life: on the one hand, we like repetition, habit, tradition, on the other we have an irresistible urge towards novel experience.

The question is how we may enjoy both. A Danish sociologist, Erik Høegh, has suggested that urban buildings should be made so as to rotate at a daily rate of five degrees. We should then always be able to find our way home after work, but the experience would at all times be new.

In the real world, this is a task that lies between the functions of the planner and the artist. The spheres of competence and job descriptions must be respected. Planners ensure that the community as a whole can function and offer every opportunity for repetition. The artist is the man who is called on, usually at the last moment, in his capacity as an environmental mechanic to cover the realities of planning with experience.

But from time to time, planning and art go hand in hand: there is room for both stock exchange and cathedral.

Undergrunds-station Kungsträdgården. Stockholm, S. Kunstnerisk udsmykning: Ulrik Samuelson.

Subway station Kungsträdgården. Stockholm, S. Art: Ulrik Samuelson.

Reklamen og trafikken

Der er sagt meget om reklamen og dens væsen. Det bedste er sagt af David Ogilvy, der langt ad vejen betjener sig af common sense (som ifølge Voltaire ikke er så common).

Ogilvy har sagt, at man ikke kan kede folk til at købe noget som helst, men det er der tilsyneladende mange reklamefolk, som ikke har hørt eller ikke tror på. Alene af den grund er god reklame så god: Den er opsigtsvækkende, fordi den er sjælden.

Langt over gennemsnittet er nogle af kæmpe-plakaterne under jorden i New Yorks Subway, Londons Underground og Metroen i Paris, selvom ikke alle værkerne tilfredsstiller den franske plakatkunstner, Raymond Savignacs definition på en god plakat: En visuel skandale.

Advertising and traffic

Much has been said about advertising and its nature, and the best derives from David Ogilvy, a man who makes a great deal of use of the common sense which according to Voltaire is not actually so common.

Although Ogilvy has said that people cannot be bored into buying things, advertising people seem to exist who have either not heard this or do not believe it. For this reason alone good advertising is so good. It grabs the attention because it is so rare.

Some of the giant posters that may be seen in the New York Subway, in the London Underground and in the Métro in Paris are far above the average in quality. But not even all these posters meet the definition of excellence set by the French poster designer, Raymond Savignac: A visual scandal.

Telefoner mod racisme, Mercury. London, GB.

Telephones against racism, Mercury. London, GB.

Netværk

Meget er sket - kartografisk set - siden europæiske søfolk sejlede mod syd, til smørret smeltede, for derefter at gå mod vest for at finde Vestindien. Dengang var et korts fornemste opgave at afbilde den forhåndenværende natur så præcist som muligt. Det er stadig hovedopgaven for mange kort.

For kort, der skal beskrive trafiksystemer, såsom undergrundsbaner og flyselskabers rutenet, renonceres der imidlertid på den geografiske analogi. Langt vigtigere end steders absolutte placering er så deres placering i relation til trafikforbindelserne. Det er vigtigere at vide, at station A kommer før B, end at B ligger en anelse længere mod vest end A.

Trafiksystemer beskrives ved netværk, hvor kartografen principielt foretrækker overskuelighed frem for detaljer og derfor begrænser antallet af grafiske virkemidler.

Henry Becks banebrydende kartografiske indsats for London Underground helt tilbage i trediverne er kendt. I dag er de fleste metropolers nærbaner kartograferet efter de principper, der blev introduceret af Henry Beck.

Networks

Cartographically speaking, much has happened since European seamen sailed southward until melting butter showed the time was ripe to turn west to find the West Indies. In those days, the primary function of a map was to depict travellers' surroundings as precisely as possible. This is still the main task of many maps.

Maps of traffic systems, however, such as urban underground railways and airline routes, don't even try to achieve exact geographical analogy. According less importance to absolute location, they emphasize how places relate to traffic connections, for it is more useful to know that station A is reached immediately before station B, than to know that B is very slightly to the west of A.

In drawing traffic systems as networks, cartographers typically emphasize the general picture at the expense of detail and strictly limit their repertoire of graphic expression.

The map of the London Underground that was created in the 1930s by Henry Beck was a cartographical sensation. Nowadays the suburban railway systems of most large cities are mapped in accordance with Henry Beck's principles.

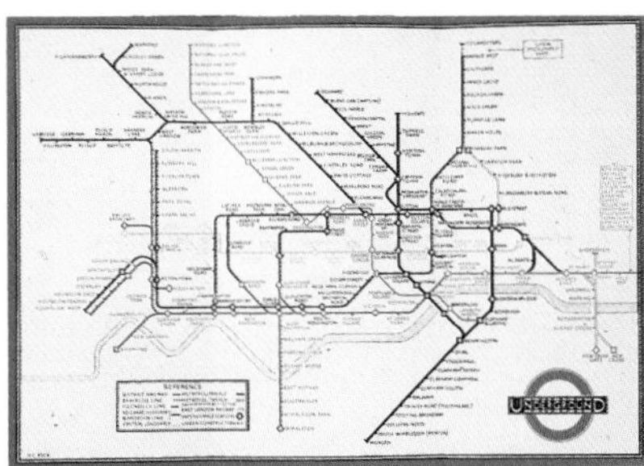

London Underground, første kort, 1933, GB. Design: Henry Beck.

London Underground, first map, 1933, GB. Design: Henry Beck.

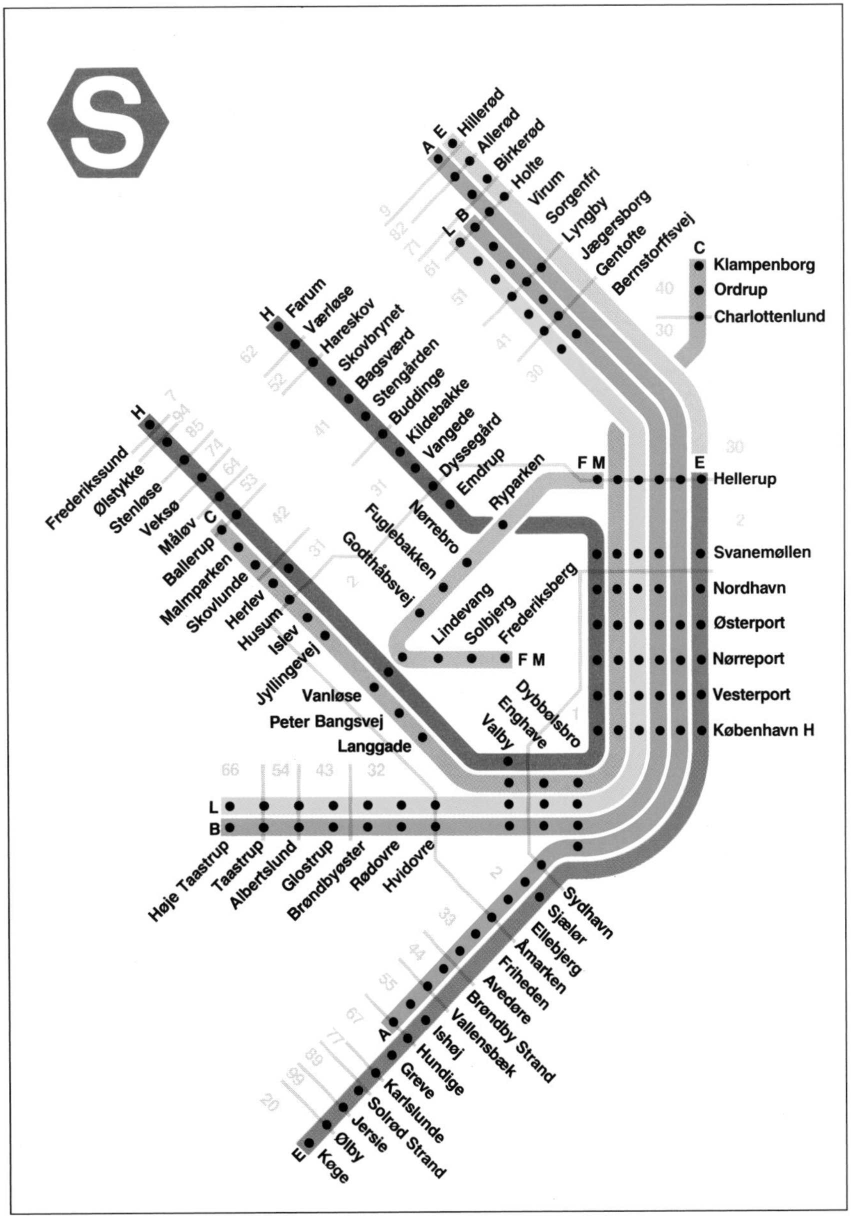

Kort over Københavns S-bane, 1990, DK. Design: Damsgaard og Lange.

Map of Copenhagen suburban trains, 1990, DK. Design: Damsgaard and Lange.

Tilbage på sporet

Sporveje, dvs skinnegående transportsystemer i gadeplan til personbefordring i bymæssige områder, har haft deres ups and downs. Efter at den første hestetrukne vogn i 1832 kom på skinner mellem New York og Harlem, fulgte Paris, London og andre storbyer; i 1881 blev den første elektriske sporvej åbnet i Berlin.

I slutningen af 1960'erne og i begyndelsen af 70'erne faldt sporvognen i unåde hos danske trafikplanlæggere, der fandt den for usmidig i trafikken.

Nu, i begyndelsen af 90'erne, ved alle, at planlæggerne tog fejl, og at de smidige busser, der skulle afløse sporvognene, både har mindre kapacitet og sværere ved at begå sig i trafikken. Hertil kommer det stadig vigtigere miljømæssige aspekt: eldrevne sporvogne forurener mindre end busser.

I Schweiz, hvor man hele tiden har troet på sporvejene, er der dels opbygget udstrakte net i mange byer, dels udviklet sporvogne med indstigningshøjde helt ned til 35 cm over gadeplan.

Back on the track

Tramways, or personal urban rail-transportation systems at street level, have had their ups and downs. The first horsedrawn tram, which ran between New York and Harlem in 1832, was the precursor of others in Paris, London and other large cities; the first electrified tramway system was opened in 1881, in Berlin.

In the late 1960s and early 1970s, Danish traffic planners had no love for trams, which they saw as inflexible in traffic.

In the beginning of the 1990s, the planners had been shown to have been mistaken, for the nimble buses that had replaced the trams not only carried fewer passengers but were often stuck in traffic jams. And with environmental questions becoming steadily graver, it was clear that electric trams pollute less than buses do.

In Switzerland, where a belief in trams has never wavered, many towns have extended their tram networks, while trams themselves have been developed to a point where their entry thresholds are no more than 35 centimetres above street level.

**Sporvogne.
Zürich, CH.**

**Trams.
Zurich, CH.**

Sporvogn.
Zürich, CH.

Tram.
Zurich, CH.

A grande vitesse

Franskmænd elsker forkortelser. I sproget og af rejsetider. De franske statsbaner hedder SNCF (Société Nationale des Chemins de Fer Français), de nye hurtigtog mellem Paris og provinsen hedder TGV (Train à Grande Vitesse), og rejsetiden mellem Paris og Lyon er forkortet til under to timer.

Nyeste TGV, TGV Atlantique, kører op til 300 km/t og tilbagelægger den 201 km lange tur fra Paris til Le Mans på 55 minutter. Så hurtigt kan en Le Mans racerkører ikke klare den rute og heller ikke konkurrenten Air Inter, hvis der regnes med effektiv rejsetid.

TGV kommer i sølvgrå togsæt à to ellokomotiver med ti vogne imellem. TGV er et kørende computercenter, hvor alt overvåges ved hjælp af nyeste teknik, herunder bremserne, der er 3 1/2 kilometer om at bringe TGV fra topfart til komplet stop.

TGV kræver en særligt anlagt tracé for at udnytte de høje hastigheder. En kurve, der på en normal banelinie vil strække sig over 500 meter, kræver på TGV-linien fem kilometer.

A grande vitesse

Frenchmen so love abbreviations both in language and in travelling time that they call their national railway system SNCF (Société Nationale des Chemins de Fer Français) and its new expresses between Paris and the provinces TGV (Train à Grande Vitesse). Time by rail between Paris and Lyon has also been shortened to less than two hours.

The recently-introduced TGV Atlantique runs at speeds of up to 300 k/h and covers the 201 km between Paris and Le Mans in 55 minutes, something that Le Mans racing drivers cannot match. Nor can Air Inter compete in terms of effective journey times.

A TGV unit comprises a silver-grey train of ten carriages between two electric locomotives. Each train is a computer centre on wheels, everything in it being supervised with the help of the latest techniques including the brakes which take 3 1/2 kilometres to slow the train from full speed to complete stop.

The TGV system needs a special layout to make the best use of its capacity for high speed. As a rule a curve on the TGV line is ten times as long as a corresponding curve for normal trains.

**TGV Atlantique,
eksteriør og
interiør 1. klasse.
SNCF, F.**

**TGV Atlantique,
exterior and
interior 1st class.
SNCF, F.**

Målet er ikke alt

Det er vigtigt at have et mål, og vigtigt at komme frem til det. Men målet er ikke alt, det tæller også at være undervejs. Det gælder for moderne personbefordring som for livet i almindelighed.

En tur med en færge er selvfølgelig et middel til et mål, men kan også være et mål i sig selv, hvis færgen er velindrettet, og servering finder sted.

De nyeste DSB togfærger på Storebælt opfylder disse krav og vil i tiden frem til indvielsen af den faste forbindelse mellem Sjælland og Fyn glæde og adsprede tusinder af rejsende. Sådan vil færgerne blive mindet i endnu længere tid som dét, der samlede riget i gamle dage.

Når travle danskere i 90'erne farer gennem betonrørene under vandet, vil de tænke på udsigten fra færgerestauranten og måske på teatermaleren Helge Refns flotte vægdekorationer på M/F Kronprins Frederik af Halsskov.

Arrival is not everything

To have a destination and to arrive there is important but it is not always the all in all - the journey, too, counts for much. This applies as much to modern passenger transportation as to life in general.

Making a crossing by ferry, self-evidently a matter of reaching a destination, can be intrinsically worthwhile if the ferry is well appointed and fully equipped with services.

The newest Danish State Railways ferries over the Great Belt meet these standards and, until Zealand and Funen are permanently linked, they will give pleasure and diversion to thousands of travellers. The ferries will be remembered as fulfilling this function for even longer as keeping the different parts of the kingdom together.

In the later 1990s, when busy Danes rush through the concrete tubes under the water, they may recall the view from the ferry restaurant, and perhaps even the fine murals by Helge Refn, the theatre designer, on MS Kronprins Frederik of Halsskov.

M/F Kronprins Frederik, DSB, Danske Statsbaner, DK. Udsmykning: Helge Refn.

MS Kronprins Frederik, DSB, Danish State Railways, DK. Art: Helge Refn.

Farten dræber

Farten dræber, står der på nogle forsigtige papskilte i vejsiden. Håbet er, at det trafikale memento mori skal bevæge bilister og andre til at bevæge sig langsommere.

Alverdens trafikforskere har i tidens løb spekuleret på, hvordan man kan lave trafikskilte, der virker. Skilte, der ses, forstås, og følges.

Dette tredelte ideale krav til trafikskiltning svarer til semiologernes, tegnforskernes, tredelte analyse af tegn: syntaktisk, semantisk og pragmatisk.

På det syntaktiske plan er spørgsmålet, om tegnet overhovedet kan opfattes af målgruppen. Har motorvejsskiltet en form, størrelse og farve, som muliggør læsning under alle forhold? På det syntaktiske niveau er spørgsmål og svar simple, men det indebærer på ingen måde, at al kommunikation lykkes på dette niveau. Tværtimod.

Semantikken beskæftiger sig med forholdet mellem tegnet og dets mening. Altså spørgsmålet, om et tegn kan forstås af dem, der skal.

Det tredje plan, det pragmatiske, handler om forholdet mellem tegnet og modtageren. Reagerer hun som ønsket?

En færdselstavle kan tjene som eksempel. Et rundt, hvidt skilt med rød kant og teksten 60 km eller bare 60 er passende stort og strategisk placeret i vejsiden, så bilister og motorcyklister dårligt kan undgå at se det. Bilisterne og motorcyklisterne ved også, at 60 km betyder, at de maksimalt må køre 60 km/t, efter at skiltet er passeret. Den syntaktiske og den

Speed kills

Cautionary signs in cardboard at the roadside proclaiming that 'Speed kills', express the hope that this memento mori for road users will move drivers and other to move more slowly.

All kinds of traffic researchers have speculated at one time or another how to create traffic signs that work - signs that are seen, understood and followed.

This three-part ideal demand that traffic signs should meet, agrees closely with semiologists' tripartite analysis of any kind of sign - syntactic, semantic and pragmatic.

The syntactic question is if a sign can first of all be seen by those it is aimed at. Do the form, size and colour of the letters on a motorway sign allow it to be read under all conditions? Questions and answers at this level may be simple but by no means imply that communication actually occurs. On the contrary.

Semantics deal with relations between the sign and its meaning, asking if those who should understand a sign can in fact do so.

The pragmatic question addresses the relationship between sign and receiver: Does she react as intended?

As an example, consider the speed-limit sign of a red-edged white disc with 60 km or simply 60 in black in the middle. Suitably sized and strategically placed at the roadside, car drivers and motorbike riders can hardly avoid seeing it. They know this 60 km or 60 means a maximum speed of 60 km/h beyond the sign. All is well syntactically and semantically, but just the

semantiske side af sagen er i orden. Alligevel sætter trafikanten kun farten ned til 70 km/t, sikkert med den begrundelse, at der stort set aldrig gives bøder for bare at køre 10 km for stærkt, og at hun med sine specielle evner sagtens kan klare en hastighed, der er lidt højere end den tilladte.

Hvis de eksperter, der råder over vejskiltene, ved noget om pragmatisk kommunikation, skriver de 50, når de mener 60.

same she only slows down to 70 km/h, being confident that fines are rarely inflicted for exceeding a speed limit by only 10 km/h, and that someone with her special ability can easily manage to drive a little faster than the permitted maximum.

So if the experts who preside over road signs know enough about pragmatic communication, they write 50 when they mean 60.

Trafikskilt fra begyndelsen af 80'erne, D.

Traffic sign from the early 80's, D.

Taxi!

Få opgaver inden for området offentlig transport er løst så dårligt som taxien. Med forbehold for Londons klassiske Austin FX4 og USAs Checker Cab er stort set alle taxabiler endt på den forkerte hylde i tilværelsen.

Blandt de særlige krav, der med føje kan stilles til en anstændig drosche, er rimelig let ind- og udstigning, ikke bare for atletiske typer i fitness-club alderen, men også for ældre mennesker og andre passagerer med stive lemmer.

Bilfabrikkernes vindtunneller og moderne tiders benzinpriser dikterer den lave højde på automobiler, der skal køre hurtigt på landevejen. Luftmodstanden spiller imidlertid ikke nogen nævneværdig rolle for benzinforbruget ved almindelig bykørsel, hvorfor man lige så godt kunne lave hyrevogne, der tillader bekvem ind- og udstigning samt anden hovedbeklædning end alpehue.

London taxien, der har den letteste ind- og udstigning, har netop gennemgået en foryngelseskur. EFs regler med hensyn til chok-absorptions-zone blev ikke opfyldt af den gamle model.

Fabrikkerne, London Taxis International og Metro-Cammel Meymann, har med henholdsvis en ajourføring af FX4 og et helt nyt køretøj forsøgt på én og samme gang at tilgodese EF, passagererne og chaufførerne.

Blandt chaufførernes ufravigelige krav hørte bevarelsen af den adskilte førerplads samt køretøjets ekstremt korte venderadius, forudsætningen for de særlige cabbie turns. Begge de nye droscher har plads til en passager i kørestol.

Taxi!

Few aspects of public transport have been resolved so poorly as taxis. Excepting the classic London Austin FX4 and the United States' Checker Cab, more or less all vehicles used as taxis have ended up on the wrong shelf.

Any decent cab should be reasonably easy to get in and out of, not only for athletic types in their fitness-club years but also for the elderly and others with stiff limbs.

Both car-makers' wind tunnels and the actual price of petrol dictate that cars shall be low if they are to be driven fast on long-distance roads. Air-resistance, however, has little effect on urban fuel consumption in general, so a vehicle that is to ply for hire, as taxis do, might as well permit a comfortable entry and exit for those whose headgear is loftier than a beret.

The London taxi, the easiest to get in and out of, has just had a redesign as EC regulations about shock-absorption zones were not fulfilled by the old model.

The factories, London Taxis International and Metro-Cammel Meymann, have tried to satisfy the EC, the passengers and the drivers at one and the same time by means of, respectively, an updating of the FX4 and a completely new vehicle.

One of the unalterable demands of the drivers was that the driver's cab should be separate and that the taxis' extremely short turning radius, a prerequisite for the special cabbie turns, should be preserved. Both new taxis have room for a passenger in a wheelchair.

Privat, offentlig transport. London, GB.

Private, public transport. London, GB.

Privat, offentlig transport. New York, USA.

Private, public transport. New York, USA.

Alting til sin tid

Filosofien, eller en væsentlig del af filosofien, bag ethvert design-program er genkendelse gennem gentagelse. Design-programmets grundelementer, bomærke, navnetræk, farver og typografi, anvendes igen og igen og sikrer derved genkendelse.

Somme tider lykkes den opgave så godt, at virksomhederne får en ubændig trang til at sprænge de rammer, de selv har sat, og som måske opleves for snævre.

I begyndelsen af 80'erne bad trafikselskaber i mange lande mange kunstnere om at dekorere særlige kunstbusser. Intentionerne var de bedste: kunstbusserne skulle skabe variation i gadebilledet og berige trafikanternes hverdag med oplevelser af kunstnerisk art. Problemet var, at kunstbusserne ikke lignede 'rigtige' busser.

Offentlig design er for alle. 'Alle' omfatter blandt andre børn, ældre og svagtseende. Kunstbusserne mangler rent ud sagt troværdighed, en del passagerer tror slet ikke på dem. Det kan kunstnerne ikke lastes for, de har bare løst den forkerte opgave.

I Zürich, hvor sporvejene har forsøgt sig med en enkelt hvid cinema sporvogn blandt de almindelige blå, forekommer problemet mindre. Så længe køretøjet bliver på skinnerne, bevarer det sin autoritet.

A time for everything

Philosophy, or the essence of design-programme philosophy, is recognition through repetition. The basic elements of a design programme are logo, logotype, colour and typography which, used again and again, ensure recognition.

Sometimes this can succeed so well that companies develop an irresistible urge to break the bounds they have set themselves and which they perhaps find too narrow.

At the beginning of the 80's, traffic authorities in many countries asked many artists to decorate special art buses. The intention was good: the art buses would add variety to the street scene and enrich travellers' everyday lives with artistic experiences. The problem was that the art buses did not look like 'real' buses.

Public design is for all, 'all' including children, the elderly and people with poor sight. The art buses simply lack credibility, and passengers do not believe in them. The artists are not to blame - they have only solved the wrong problem.

In Zurich, where the trams have tried out one single cinema tram among the usual blue trams, the problem seems to be smaller. As long as the vehicle stays on the rails it retains its authority.

Cinema sporvogn. Zürich, CH. Design: Atelier Rolf Weiersmüller, Hans Grüninger, Gabi Scholl.

Cinema tram. Zurich, CH. Design: Atelier Rolf Weiersmüller, Hans Grüninger, Gabi Scholl.

CIN|EMA

A

IS A WONDERFUL MOTION PICTURE!

Im Kino läuft mehr als nur ein Film

Cinéma Première

Genau auf Ihrer Linie

ABC, Alba, Bellevue, Capitol, Corso, Frosch, Le Paris, Movie, Nord-Süd, Piccadilly, Radium, Commercio, Wellenbe

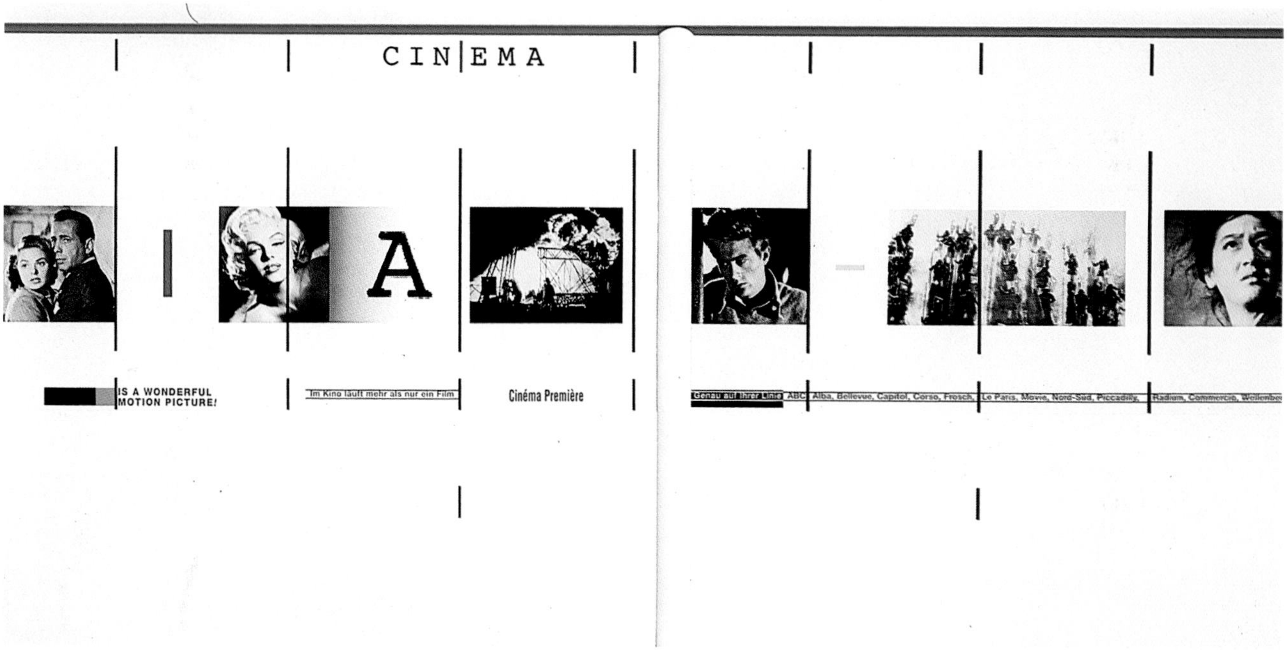

Genius loci - stedets ånd

En jernbanestation skal ligne en jernbanestation og ikke let forveksles med en almindelig kontorbygning eller et supermarked. Skiltning og andre elementer i design-programmet må sikre stationens nødvendige fjernkending.

Hvad facaden mod sporene angår, kan der gives flere frihedsgrader. Her er det ikke bare tilladt, men en fordel, hvis stationerne ikke er helt ens. Det hjælper den rejsende til at genkende sit mål og giver lokalsamfundet en rar følelse af ikke bare at være et nummer på linien.

Mange arkitekter i mange lande har i tidernes løb givet deres bud på, hvordan jernbanestationer kan variere inden for et fællespræg.

Det er også forsøgt at lade de enkelte stationer tage farve af deres beliggenhed og lade genius loci, stedets ånd, præge stationens udformning.

Louvre-stationen i Metroen i Paris har længe været en museumsstation fyldt med montrer og andre visuelle referencer til det store museum.

New York gennemførte for nogle år siden The Culture Stations Project, hvor fire udvalgte stationer blev redesignet, så rejsende under jorden kunne se, hvad der hændte af kulturelle aktiviteter over jorden.

Genius loci - the spirit of place

A railway station should look like a railway station, and not easily be mistaken for some general office building or a supermarket. Signs and other elements in the design programme must ensure that the station is recognisable at a distance.

From the railway tracks themselves more freedom is possible because, from this vantage point, stations not merely may but can with advantage actually look different. Travellers may thus recognise their destinations, and local communities may enjoy the pleasant feeling of not just being numbers on a line.

At one time or another, architects in many countries have suggested how railway stations can vary within a common stamp.

Attempts have also been made to let individual stations take colour from their surroundings, to let the genius loci inspire their appearance.

In the Paris Métro, the Louvre station has long been a museum station full of displays and other visual references to the large museum itself.

Some years ago, New York realized the Culture Stations Project, in which four selected stations were redesigned so that subway passengers could see what cultural activities were going on above ground.

**Fifth Avenue/
53rd Street,
'Kultur Station'.
New York, USA.
Design:
Pentagram.**

**Fifth Avenue/
53rd Street,
'Culture Station'.
New York, USA.
Design:
Pentagram.**

Tankens tog

Det danske IC3 tog er ikke verdens hurtigste, langtfra. Heller ingen har påstået, at det er det smukkeste tog. Men det redefinerer begrebet rejsekomfort og fremtræder som et veritabelt katalog over gode tanker vedrørende moderne tog-design.

IC3 toget er bygget efter koncept og design leveret af DSB, der skal anvende det dieseldrevne tog til persontrafik på lange strækninger, i tiden indtil det danske jern-banenet bliver fuldstændigt elektrificeret.

IC3 er opbygget i togsæt à tre vogne, motorvogn-mellemvogn-motorvogn. To eller tre togsæt kan hurtigt forenes ved hjælp af automatkoblinger.

IC3 er let, hurtigt og miljøvenligt. Vægten er 620 kg pr siddeplads mod et traditionelt togs noget over 1.000 kg. Den lave vægt er opnået ved at give toget karosseri af aluminium og standard lastbilmotorer i stedet for lokomotiv. Videre er de midterste bogier fælles for to vogne. Det gunstige forhold mellem togets vægt og motorkraft sikrer en god acceleration, som i øvrigt er uafhængig af togets længde. Motorerne, der er fuldstændigt indkapslede, bruger mindre brændstof og støjer mindre end det traditionelle dieseltog.

I hvert togsæt styrer en togcomputer i alt 92 datamater, heriblandt informations-computeren, som styrer lys, pladsreserve-ring, musik og højttaler-information. Fra sin plads i førerrummet har lokomotivføreren (det hedder han stadig) via en dataskærm totalt overblik over togets teknik.

Train of thought

The Danish IC3 train is not the fastest in the world - far from it. Nor has anyone claimed that it is the most beautiful. But it redefines the concept of travelling comfort and takes its place as a veritable catalogue of good thoughts about modern train design.

The IC3 is built according to the design supplied by DSB, Danish State Railways, which is to use the diesel train for passenger traffic on longer stretches until the electrification of the Danish railway network has been completed.

The IC3 consists of three train sets - engine car, middle car and engine car. Two or three sets can be coupled together quickly using automatic couplers.

The IC3 is light, fast and environmentally acceptable. The weight is 620 kg per seat compared with the more than 1,000 kg of the traditional train. The low weight has been achieved by giving the train an aluminium body and standard truck motors instead of a locomotive. Furthermore the bogies in the middle are shared by two carriages. The favourable relationship between the weight of the train and the engine power ensures good acceleration which in any case is independent of the length of the train. The engines which are completely enclosed use less fuel and produce less noise than the traditional diesel train.

In each train set a train computer controls a total of 92 other computers including the information computer which controls the lit-up text, seat reservations, music and loudspeaker information. From his seat the train driver has a complete overview of the technology of the train via a screen.

**IC3,
ABB Scandia/
DSB, Danske
Statsbaner, DK.
Design:
Niels Tougaard,
Jens Nielsen
et al.**

**IC3,
ABB Scandia/
DSB, Danish State
Railways, DK.
Design:
Niels Tougaard,
Jens Nielsen
et al.**

Mach 2

Mange (de fleste?) såkaldte frequent flyers flyver kun af nød. Den knappe tid kræver det. Trafikflyvningens eneste berettigelse er farten. Jo hurtigere, jo bedre. Allerhurtigst er de 14 Concorde-fly, der i 1976 blev bygget af et engelsk/fransk konsortium og ligeligt overtaget af Air France og British Airways.

Concorde-flyets rejsehastighed er Mach 2, to gange lydens hastighed, som er afhængig af temperaturen, men ved 0 grader celsius ligger på ca 1.200 km/t. På grund af lydgenerne flyves der kun supersonisk over ikke-beboede områder.

Concordens hovedbeskæftigelse er ruteflyvning mellem hhv Paris, London og New York. Turen gøres på godt tre timer og tillader den travle businessperson at spise morgenmad i London, deltage i et langt møde i New York, og være hjemme i London sent om aftenen, eller vice versa.

Concorden er et relativt lille fly med plads til 100 passagerer, som betaler supersonisk tillæg til første klasse. Concorden bruger tre gange så meget brændstof som en Boeing 747 med over 400 passagerer.

Mach 2

Many (most?) frequent flyers only fly because they have to. Scarcity of time demands it. The only justification for passenger flying is the speed. The quicker the better. The fastest planes are the 14 Concordes built by an English/French consortium in 1976 and taken over by Air France and British Airways on an equal basis.

Concorde's cruising speed is Mach 2, twice the speed of sound, which is dependent on the temperature but is approx. 1,200 km /hour at 0 degrees Celsius. Because of noise pollution the Concorde only flies supersonically over non-inhabited areas.

Concorde mainly flies the Paris/New York, London/New York routes. The trip takes just over three hours and enables a harried businessman to have breakfast in London, attend a long meeting in New York and get back home to London in the late evening, or vice versa.

The Concorde is a relatively small plane with room for 100 passengers who pay supersonic supplements to first class. Concorde uses three times as much fuel as a Boeing 747 with over 400 passengers.

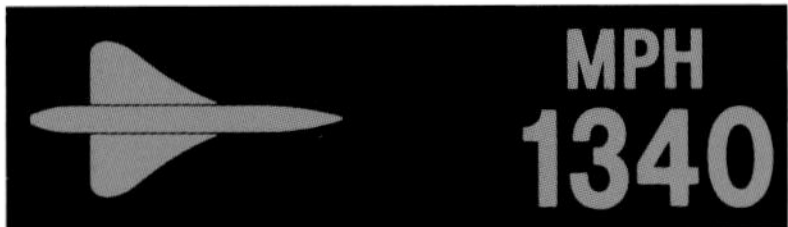

Passagerflyvning med Mach 2. Concorde, British Airways, GB.

Passenger flying at Mach 2. Concorde, British Airways, GB.

**Concorde,
British Airways,
GB.**

Kommunikation
Communication

The danger in communication is the illusion that it has been accomplished.
George Bernard Shaw

Kongelig post

Royal Mail, Storbritanniens postvæsen, har for vane at gøre tingene på sin egen måde. Et velkendt eksempel er det engelske postnummersystem, der set fra et mnemoteknisk synspunkt må være det dårligste i verden. En mulig undtagelse er Canadas, der trist nok er inspireret af det engelske.

Mens postnumrene forklarer en del af Englands industrielle problemer, giver Royal Mails annoncering løfter om en anden og bedre fremtid. Serien af image-annoncer, som Royal Mail i nogle år har indrykket i fashion og style magazines, bryder helt og totalt med vore ideer om, hvordan offentlige væsener falbyder deres ydelser:

Hat by Fred Bare £34
Roll-neck Shirt by French Connection £31
Braces by Terra-Nova £14.50
Kilt-pin by Wright & Teague £25
Letter by Royal Mail 18p
By Air, By Land, By Hand
Royal Mail

By Air, By Land, By Hand

The Royal Mail, the postal service of the United Kingdom, habitually does things its own way, a well-known example being its postal-numbering system. Mnemonically speaking, if it is not the worst in the world, it can be outdone only by that of Canada which is sadly inspired by the British system.

While Britain's postal numbers may explain some of the industrial problems, Royal Mail advertisements promise a different and brighter future. Its series of image advertisements that has appeared for some years in fashion and style magazines departs completely from every idea about how public services should offer their wares for sale:

Hat by Fred Bare £34
Roll-neck Shirt by French Connection £31
Braces by Terra-Nova £14.50
Kilt-pin by Wright & Teague £25
Letter by Royal Mail 18p
By Air, By Land, By Hand
Royal Mail

Royal Mail
annonce i Vogue.
The Post Office,
GB.
Design:
D'Arcy Masius
Benton and
Bowles.

Royal Mail ad
in Vogue.
The Post Office,
GB.
Design:
D'Arcy Masius
Benton and
Bowles.

Et galleri af billeder

Et lands frimærker er et billede - eller rettere: et galleri af billeder - af dets kultur. Både de motiver, frimærkerne viser, og den kunstneriske og tekniske kvalitet, hvormed mærkerne er udført, er afslørende.

Måske er det, fordi England opfandt frimærket. Måske er det bare, fordi de laver nogle af de flotteste i verden, at Royal Mail finder det overflødigt at skrive nationalitet på Englands postale frigørelsesmidler.

Hvor gode engelske frimærker somme tider er, illustreres af en serie på fire mærker, der i 1988 blev udsendt for at mindes 100 året for forfatteren Edward Lear, som nogen husker for the Owl and the Pussycat.

A gallery of pictures

The postage stamps of a country are a picture - or more correctly, a gallery of pictures - of its culture. The motifs of postage stamps and their artistic and technical quality are revealing.

Perhaps because postage stamps came into existence in England, or perhaps only because British stamps are among the most beautiful in the world, the Royal Mail finds it superfluous to indicate the country of issue on its postal tokens.

Just how good British stamps can be was shown by a series of four that was issued in 1988 to mark the centenary of the death of Edward Lear, whom some people remember among other things for the Owl and the Pussycat.

Royal Mail frimærker. The Post Office, GB. Design: The Partners.

Royal Mail stamps. The Post Office, GB. Design: The Partners.

Et nationalt ikon

Den danske postkasse er ikke verdens ældste, og muligvis heller ikke den bedste sui generis, men den er et nationalt ikon og rangerer som sådant side om side med skorstensfejeren og storkereden. Storke er i Danmark snart en saga blot, og skorstensfejeren ser sig om efter nye forretningsområder i takt med, at flere deler færre skorstene.

Men postkassen, den hundrede år gamle røde, som regel væghængte, metalæske, bliver der ikke rørt ved. Ganske vist blev der for nogle år siden lanceret en moderniseret udgave, men fornyelsen ændrede ikke på det vigtigste: signalvirkningen. Budskabet er nu som før:
1. Herfra kan du sende dine breve.
2. Du er i Danmark.

Bag den kvalitetsassocierende Dannebrogs-lak er den nye kasse et konglomerat af let udskiftelige aluminiumskomponenter, den gamle kasse var gjort af sammensvejset jern. Dertil accepterer den nye postkasse større forsendelser end forgængeren, flade eller i rulleform.

A national icon

The Danish letter-box may not be the oldest in the world nor even the best sui generis, but as a national icon it has its place beside the sweep and the stork's nest. In Denmark, storks will soon be only a distant memory, and sweeps are looking about them for new areas of work as more and more people share fewer and fewer chimneys.

But the letter-box, the hundred year old red metal box, as a rule hanging on a wall, is not going to be touched. Some years ago, it is true, a modernized version came out, but this rejuvenation did not alter its most vital job: to convey a signal. As always, it proclaims that:
1. Your letters may be sent from here.
2. You are in Denmark.

Behind the impression of quality of the flag code paint, the new box is a conglomerate of easily replaced aluminium components; the old box was of welded iron. The new box can also take larger items than its predecessor, either flat or as rolls.

**Postkasse,
Post- og Telegraf-
væsenet, DK.
Design:
S. H. Nissen.**

**Letter-box,
The Post Office,
DK.
Design:
S. H. Nissen.**

Posthemmeligheden

I USA er private postkasser ikke udelukkende et privat anliggende, de skal godkendes af the Postmaster General. Allerede i 1915 lod det amerikanske postvæsen udvikle en privat postkasse til brug på landet. Samtidig introduceredes en ordning, hvor producenter af private postkasser kunne få deres produkter godkendt.

Den originale Traditional Rural Mailbox blev designet i 1915 af Roy Jorolemen, som i 1959 også leverede en moderne version.

The Traditional Rural Mailbox er af aluminium og yder perfekt beskyttelse mod vejr og pilfingre. Når postbudet har afleveret sine breve og blade, vipper han et lille rødt flag op, så ejeren på afstand kan se, at der er post. Hvis ejeren har efterladt en åben hængelås ved postkassen, smækker postbudet den i, så ingen uautoriseret person krænker posthemmeligheden.

I dag er der omkring ti producenter, der leverer Roy Jorolemens originale design, og et større antal, som markedsfører lignende, godkendte konstruktioner.

Postal secrets

In the United States, private mailboxes are not a private matter, for their design must be approved by the Postmaster General. In 1915, when the American postal authorities caused a mailbox to be developed for private use in rural regions, they regulated how makers of private mailboxes may seek approval for their products.

The original Traditional Rural Mailbox was designed by Roy Jorolemen in 1915; in 1959 he produced a modern version.

The Traditional Rural Mailbox is in aluminium and offers perfect protection against weather and busybodies. When the postman has delivered his letters and other dispatches, he flips up a small red flag so that the owner may see from a distance if there is something to collect. If the owner hangs an open padlock on his box, the postman closes it so no unauthorized person can tamper with the secrecy of the mails.

Today about ten suppliers offer their versions of Roy Jorolemen's original design and a larger number of others who market similar approved constructions.

**Amerikansk
Traditional Rural
Mailbox, USA.**

**American
Traditional Rural
Mailbox, USA.**

Budskab eller udsmykning?

Da danske bønder rejste Frihedsstøtten på Vesterbrogade i København, gjorde de det ikke, fordi det offentlige rum manglede en kunstnerisk udsmykning.

Bønderne rejste deres obelisk som tak til Kongen, Frederik VII, fordi han gennem stavnsbåndets ophævelse i 1788 havde skænket dem deres frihed. Skulpturen havde et klart budskab. Det havde offentlige skulpturer dengang.

Senere trængte udsmykningsopgaven sig på. En offentlig skulpturs primære opgave var ikke længere at udtrykke et bestemt budskab, men snarere at udsmykke et gaderum eller måske en offentlig bygning.

På det seneste har budskabet fået en renæssance. Kunstneren har overtaget hofnarrens frisprog og forholder sig åbenlyst kritisk til arbejdsgiveren.

Message or embellishment?

When Danish peasants raised Frihedsstøtten, the Freedom Obelisk, on Vesterbrogade in Copenhagen, it was not because the public space lacked artistic embellishment.

The peasants raised their obelisk to record their thanks to their king, Frederik VII: in 1788, they won their freedom when he abolished the prohibition on their leaving their places of birth. The sculpture conveys a clear message, as did public sculptures at that time.

Later, the matter of embellishment made itself felt. The primary function of public sculpture was no longer to express a definite message but to embellish a thoroughfare or maybe a public building.

In recent years, the message-bearing function has had a renaissance. Artists have annexed the language of the court jester and openly expressed their criticism of their patrons.

Gladsaxe Bibliotek.
Gladsaxe, DK.
Arkitektur:
Erik Korshagen.
Udsmykning:
Bjørn Nørgaard.

Gladsaxe Library.
Gladsaxe, DK.
Architecture:
Erik Korshagen.
Art:
Bjørn Nørgaard.

Forbrydelsens element

Fænomenet graffiti er ikke nyt, det huskes fra Pompeji, men har med fremkomsten af maling i aerosoldåser fået en voldsom renæssance.

Graffiti er et medium for minoriteter, der har svært ved at komme til orde andre steder. Og mange graffitibudskaber falder sandt at sige udenfor, hvad etablerede medier beskæftiger sig med.

Megen graffiti inspireres givet af horror vacui, utilpashed ved det tomme rum, som også får sindssyge malere til at fylde lærredet til sidste centimeter.

Om graffiti er kunst eller svineri, afhænger af øjet, som ser. Husejere og offentlige myndigheder tager almindeligvis sidstnævnte standpunkt. Men ikke Norman Mailer: Der er et element af kunst i enhver forbrydelse, og et element af forbrydelse i al kunst, fastslog han i The Faith of Graffiti.

Der er ingen nem løsning på storbyens graffitiproblemer. Hist og pist har initiativrige politikere eller embedsmænd foranstaltet særlige tavler, hvor ulovlige graffiti er lovlige. Men sådan unddrager man sig ikke forbrydelsens element.

The element of crime

As a phenomenon, graffiti are not novel, as visitors to Pompeii may recall, but aerosolcan painting has brought about their violent renaissance.

Graffiti are the medium of minorities who have scarcely a chance of getting a word in elsewhere. And graffiti convey many messages on subjects that, to be frank, are beyond the concern of the established media.

Many graffiti are of course inspired by horror vacui, the indisposition to accept empty space that also makes mentally disturbed painters fill every last inch of their canvasses.

Whether graffiti are art or debasement is for the individual eye to decide, while property owners and public authorities generally incline to the latter view. But not Norman Mailer, who wrote in The Faith of Graffiti that there is an element of art in every crime, and an element of crime in all art.

There is no easy remedy for the problems of graffiti in larger cities. Now and again local politicians who have initiative propose specified spaces on which illegal graffiti may legally be inscribed but criminal elements cannot be delt with in this way.

Assistens Kirkegård. København, DK.

Assistens Cemetery. Copenhagen, DK.

Billedligt talt

Det er en tilsyneladende udbredt opfattelse blandt designere og andre planlæggere, at piktogrammer er den største gave til menneskeheden siden byggekatastrofen i Babylon.

Piktogrammer er billedtegn, der betyder, hvad de viser. De er, hvad semiologer kalder naturlige tegn. Naturlige tegn kræver ingen konvention, aftale om betydning, men er umiddelbart forståelige. Når billedtegn ikke betyder, hvad de viser, er de vilkårlige tegn. For at kunne forstå et vilkårligt tegn, må læseren kende en kode, en konvention om, hvad der betyder hvad.

Begrundelsen for at anvende piktogrammer er, at de angiveligt kan læses hurtigt, og at de angiveligt kan forstås på tværs af sproggrænser.

I den udstrækning piktogrammer er piktogrammer, dvs naturlige tegn, og i den udstrækning de er velskabte, kan de måske læses hurtigt. I den udstrækning piktogrammernes billedindhold kommer fra en fælles kulturel baggrund, kan piktogrammerne måske krydse sproggrænser.

Skønt den optimale brug af piktogrammer forudsætter total standardisering, veksler piktogrammernes udformning fra land til land og fra trafikselskab til trafikselskab. Årsagen til mangfoldigheden ligger i, at det aldrig er lykkedes at gennemføre en international standardisering for piktogrammers præcise grafiske udformning, men kun for deres image content, dvs indhold.

Vejskilte kan også være piktogrammer. Det svenske vejskilt for elg er ægte piktogrammatisk, halvt lovende, halvt truende i sin ukomplicerede realisme.

Pictorially speaking

Many designers and others dealing with planning seem to believe that pictograms are the greatest boon to humankind since the building catastrophe in Babylon.

Pictograms – pictorial signs that mean what they show – are what semiologists call natural signs in that they can be understood directly, without any need for a convention or agreement on meaning. Signs that do not mean what they show are called arbitrary: before an observer can understand them, he or she must know the convention or code that reveals their meaning.

The reason for using pictograms is that they can ostensibly be read quickly and that they can ostensibly be understood across language barriers.

To the extent that pictograms are pictograms, i.e. natural signs, and to the extent that they also are well drawn, maybe they can be read quickly. To the extent that their imagery comes from a common cultural background they may perhaps cross language barriers.

Although optimal usage of pictograms presupposes total standardization, their form varies from country to country, from one traffic authority to the next. This multiplicity stems from the failure of all attempts to create an international standard for their precise graphic form: only their image content - the depicted objects - has been agreed.

Traffic signs can also be pictograms: the Swedish road sign of an elk is genuinely pictogrammatic, half promising, half threatening in its uncomplicated realism.

Giv agt: Elg!
Vejskilt, S.

Warning: Elk!
Road sign, S.

0–
3,0 km

Gris ingen adgang

Grafisk design kan i princippet bruges til tre ting: identifikation, instruktion og motivation. Et landgrænseskilt identificerer, et kort over London informerer, og en kampagne mod almindeligt griseri i togene prøver på at motivere.

Motivation var nøgleordet for den kampagne, Københavns S-toge i 1987 iværksatte for at komme griseriet i togene til livs. Fra starten stod det klart, at vejen frem ikke var forbud ledsaget af trusler om retsforfølgelse og straf, men snarere venlig, høflig og humoristisk overtalelse.

I den ånd skabtes sloganet 'ren rejse' og symbolet 'gris ingen adgang'. Slogan og symbol blev introduceret og slået fast gennem tv-spots, reklameindslag i biograferne og videoer i ungdomsklubberne. Særlige ren rejse patruljer, unge mennesker i hvide kedeldragter, gjorde rent i togene, mens de kørte.

For ikke bare at motivere de rejsende, men også at give dem mulighed for at være renlige, blev der indført gratis miljøposer, plastposer beregnet til affald, der også er blevet populære til at opbevare strikketøj og meget andet.

Sidste led i kampagnen var gratis éngangs-askebægre anbragt i en dispenser ved indgangen til rygekupéen. I dag kan københavnerne ryge og rejse og være renlige uden at skulle skubbe til naboens morgenavis for at nå frem til det faste væghængte askebæger.

Pigs not admitted

In principle, graphic design can be used for three purposes: identification, instruction, and motivation. A frontier signpost identifies, a map of London informs, a campaign against generally piggish behaviour on urban trains motivates, or tries to.

Motivation was the key to the campaign that the Copenhagen suburban train management set in motion in 1987 to fight piggish behaviour. From the word go it was clear that the way forward was not prohibition backed by threats of legal proceedings, but by contrast something friendly, polite and humorously persuasive.

A slogan and a symbol were created in that spirit: 'clean commuting' and 'pigs not admitted'. They were introduced and driven home in TV spots, advertising in cinemas and videos in youth centres. Some clean commuting patrols - young people in white overalls - cleaned up the trains while they were in use.

A general motivation for travellers was supported by means of being clean and tidy: free plastic rubbish bags, which also became very popular for holding knitting and other bits and pieces.

A final touch was to provide a supply of free disposable ashtrays at the entrance to smokers' compartments. Nowadays, those who want to smoke on the Copenhagen suburban trains can do so, and be clean and tidy, without disturbing their neighbours' morning papers while reaching for the nearest wall-mounted ashtray.

Symbol for ren rejse kampagne, S-togene. København, DK. Design: Designlab.

Symbol for clean commuting campaign for S-trains. Copenhagen, DK. Design: Designlab.

**Rengøring på
S-togs-stationen.
København, DK.**

**Cleaning at the
S-train station.
Copenhagen, DK.**

Det officielle brev

Mange mennesker kender den offentlige sektor som et upersonligt væsen, der sender ubehagelige breve i rudekuverter. Brevene er umiskendeligt offentlige både i grafisk og sproglig form.

Rundt omkring foregår der i disse år bestræbelser på at afmystificere offentlig korrespondance. Anstrengelserne retter sig mod den grafiske udformning, brevet skal være mere appetitligt, mere overskueligt og lettere at læse.

Men ideelt set skal det ikke bare være lettere for modtageren at læse et brev fra det offentlige, det skal også være lettere for afsenderen at udfærdige brevet. Det kræver, at brevets design er i dyb overensstemmelse med den teknologi, der er til rådighed, det vil sige moderne tekstbehandlingsudstyr.

Sammen med en enklere og mere funktionel grafisk form følger naturligt bestræbelser på at gøre sproget mere modtager-relevant, det vil sige at forme det på en måde, som modtageren forstår. Kancellisprog har sin berettigelse, for eksempel i korrespondance mellem embedsmænd, men virker fremmedgørende på udenforstående.

The official letter

Many feel the public sector is an impersonal entity that uses manilla envelopes to send people nasty letters that are also unmistakably public sector in graphic form and wording.

Nowadays, much of the effort to demystify official correspondence is aimed at graphic form, trying to make it less unappetizing, less incomprehensible and not so hard to read.

Ideally, not only should a letter from a public body be easier for the recipient to read, but easier for the civil servant to write. This calls for a design that precisely fits the relevant technology, in other words modern word-processing equipment.

Together with simple, more functional graphic form, a letter should be written in language that makes sense to the receiver, that is to say written in a way he or she understands. Formal language has its place, for example in correspondence between civil servants, but it can feel alien to members of the public.

Byplanafdelingen

Odense Kommune
Magistratens 2. afdeling

Odense Slot, Indgang E
Nørregade 36-38
5000 Odense C
Telefon 66 13 13 72
Telefax 65 91 01 44

Hans Bjerregaard
Hovedgaden 18
3220 Tisvildeleje

20 Feb 91
Jnr 123-456/789

Udnyttelse af vedvarende energi

Tak for henvendelsen om deltagelse i et udvalgsarbejde om udnyttelse af vedvarende energi i økologiske helhedsløsninger i forbindelse med bygningsanlæg.

Set ud fra en helhedsbetragtning, som jo netop er byplanlægningens styrke, er det klart kombinerede miljø- og energiløsninger, der er behov for i fremtidens byomdannelse.

Vi har i Odense forsøgt os med mindre projekter i byfornyelsesområderne, men har endnu ikke forsøgt os i stor skala.

Vi har imidlertid kontakter til interesserede bygherrer mv, som vi i et kreativt samspil vil kunne udvikle et fællesprojekt med.

I sammenhæng hermed er det vigtigt at etablere et overordnet organ med tilknyttede støttemuligheder, således som det er beskrevet i det tilsendte materiale.

Jeg håber, at det vil lykkes at stable en koordinationsgruppe på benene, og vil i givet fald gerne deltage i arbejdet.

Venlig hilsen

Poul Andersen
Konsulent

Brev fra kommunen. Navnet på den afdeling, der har sendt brevet, er ikke skjult med små bogstaver, men står størst og øverst. Odense Kommune, DK. Design: Designlab.

Letter from the municipality. The name of the department which sent the letter is not hidden in small letters, but clearly stated right at the top. The Municipality of Odense, DK. Design: Designlab.

Til våben!

Territoriale våben, dvs rigsvåben, byvåben og lignende, har deres oprindelse i de våbenmærker, middelalderens riddere havde på deres skjolde. Formålet med riddernes våbenmærker var, som med vore dages fodbolddragter, at tilskuerne kunne se, hvem der var hvem.

Fra ridderturneringerne bredte skikken sig, våbnene gik i arv og blev slægtsvåben. Herfra var vejen kort til, at en region blev identificeret ved dens fyrstes våbenskjold.

Den territoriale heraldik trives i kongeriger som i republikker, på sidstnævnte er Finland et smukt eksempel. Fordi Finland er en ung stat, og fordi man har grebet sagen seriøst an, står landet i dag med en enestående heraldisk flora, der dækker både nationalstaten og flere hundrede kommuner.

Mindre end en halv snes designere har tilsammen tegnet næsten alle de finske våben og sikret fællespræget.

To arms!

Territorial, i.e. municipal and similar coats-of-arms derive from the heraldic devices on the shields of medieval knights which, like contemporary football players' gear, were to tell onlookers who was who.

The custom spread from jousting tournaments and coats-of-arms descended by inheritance within families, and it was not long before geographical regions became identified with the coats-of-arms of their rulers.

Territorial heraldry thrives in kingdoms as well as in republics, and of the latter Finland is a prime example. Because Finland is a young state, and because the subject is delt with seriously, the country blooms with a rich heraldic flora, covering both the nation state itself and several hundred municipalities.

Altogether, a group of fewer than a dozen designers has created almost all the Finnish coats-of-arms and ensured a common character.

Liperi

Teerijärvi

Paavola

Kihniö

Sahalahti

Pudasjärvi

Nuijamaa

Öja

Finske regionale våben, SF.

Finnish regional coats-of-arms, SF.

Pluriformen

Blandt alle elementer i et design-program er der næppe noget, der interesserer de ansatte i offentlige virksomheder mere end uniformer og anden arbejdsbeklædning.

Som ufravigeligt krav skal enhver uniform, eller arbejdsbeklædning i øvrigt, være funktionel. Den skal give brugeren passende bevægelsesfrihed og om nødvendigt beskytte mod vejrlig og anden fysisk overlast.

Hvis fællespræget udadtil spiller en rolle, og der er tale om en egentlig uniform, må det kræves, at den knytter an til virksomhedens visuelle profil og udstråler den kompetence og autoritet, der forventes.

De, der skal bære uniformen, vil kræve pasform, i mere end én forstand.
Dels skal tøjet passe i mål. Dels skal det passe i stil. Forskellige aldersgrupper kan have forskellige - velbegrundede - ønsker.

Den praktiske løsning hedder en pluriform, en uniform, eller rettere et uniforms-program, der er så varieret, at den enkeltes fysiognomi og personlighed trives inden for de rammer, der sikrer fællespræget.

The pluriform

Of all the elements in a design programme there is scarcely one of greater interest to the employees of public-service companies than their uniforms and other items of working dress.

A basic requirement for any uniform or the like is that it be functional. It should offer wearers freedom of movement and, if need be, some protection against the weather and other physical discomfort or harm.

If a common face on the world plays some explicit role, and it is a case of a real uniform, then it must associate to the relevant visual profile and express the competence and authority that are expected.

Its wearers will want it to fit, in more than one way: in part functionally, in part stylistically, for what suits a 22-year-old ticket collector need not also suit a train driver aged 57.

A practical solution may be called a pluriform, a uniform, or more precisely a set of uniforms, that can accommodate the individual's physiognomy and personality within the limits of a common stamp.

**Uniformer,
DSB, Danske
Statsbaner,
DK.
Design:
Vibeke Lassen
Nielsen.**

**Uniforms,
DSB, Danish
State Railways,
DK.
Design:
Vibeke Lassen
Nielsen.**

**Telefonbog, GB.
Design:
Colin Banks.**

**Phone book, GB.
Design:
Colin Banks.**

Telefonbogen

Måske er telefonbogen en uddøende race. Den ideelle telefon har sin egen afdeling for nummeroplysning.

Et første skridt i den retning er taget med Minitel-forsøget i Frankrig, hvor flere millioner telefonabonnenter i stedet for en telefonbog har fået et videotext-tastatur, de kan bruge sammen med et tv.

I mellemtiden - og der bliver en mellemtid - drejer opgaven sig om at lave nogle telefonbøger, der på den ene side er lette at orientere sig i og læse, og på den anden side begrænser ressourceforbruget.

Designeren Colin Banks, fra designfirmaet Banks & Miles, har for British Telecom lavet en bog, der honorerer ovennævnte krav.

Ved opslag i en telefonbog bruges en god del af tiden på at skelne, ikke mellem ord, men mellem bogstaver. Derfor er forskellen mellem bogstaverne relativt stor i Colin Banks skrift, Phonebook.

Navne og telefonnumre er det vigtigste, adresser er sekundært, derfor kan de godt stå lidt svagere. Plads kan også spares ved ikke at gentage efternavne. Derved spares omløbslinier, der ellers kan være en overordentlig pladskrævende og dermed bekostelig affære.

Ved hjælp af ovennævnte indgreb og ved at gå fra tre til fire spalter, lykkedes det at reducere antallet af London-telefonbøger fra fire til tre. Den forbedring kan måles i pund og pence, eller i antallet af ikkefældede træer.

The phone book

The phone book is perhaps a dying race. The ideal telephone has its own section for directory inquiries.

The Minitel experiment in France is a first step in this direction where, instead of a phone book, several million subscribers have got a video keyboard which they can use together with a TV.

In the meantime - and there will be a meantime - the problem is to make phone books that are both easy to find one's way around in and read, and which also limit our use of resources.

Colin Banks, of the design firm Banks & Miles, has made a book for British Telecom that honours these demands.

A lot of the time is spent distinguishing between letters rather than words when looking something up in the phone book. For this reason the difference between letters is relatively great in Colin Banks' Phonebook typeface.

Names and phone numbers are the most important - addresses are secondary and can therefore not be so prominent. Space can also be saved by not repeating surnames. In this way run-on lines can be saved; they can take up a lot of space and thus cost a lot of money.

By means of the above-mentioned measures and by going from three to four columns, it was possible to reduce the number of London's phone books from four to three. This improvement can be measured in pounds and pence or in the number of trees which have not been felled.

PRICE Dr L.A –
(Res), 18 Welham Rd SW16 6QJ ... 677 8942
PRICE L.A, 90 Latimer,Aylesbury Est SE17 2EW ... 701 8770
L.A, 147 Ravensbury Rd SW18 4RY ... 879 3882
L.A, 63 St. Johns Av NW10 4ED ... 965 3030
L.B.A, 9 Maxwell Ct,Lordship La SE22 8NT ... 693 4434
L.C, 8 Fryent Cres NW9 7HH ... 200 1681
Lionel D, 77 Frensham Dv SW15 3EB ... 788 1838
L.E, 4 Thorne Ter SE15 3LN ... 732 5798
L.F, 77 Lewis Trust Dwlgs, Lisgar Ter W14 8SF ... 602 4002
L.J, 27 Clifton Pk Av SW20 8BB ... 540 7892
L.J, 74 Louisville Rd SW17 8RU ... 767 4963
L.J, 23 Banner Ho,Roscoe St EC1Y 8SX ... 253 6300
L.J, 40 Locton Gn,Ruston St E3 2LP ... 980 6542
Lawton J, 114 Stapleton Hall Rd N4 4QA ... 341 6273
L.M, 36 Harman Clo,Avondale Sq SE1 5PB ... 237 4160
L.N, 127 Casewick Rd SE27 0TA ... 761 0855
L.S.L, 3a Bronsart Rd SW6 6AJ ... 385 1404
L.V, 3 Girton Av NW9 9TG ... 204 6177
M, 4 Aldriche Wy E4 9LZ ... 527 0572
M, 125 Avenell Rd N5 1BH ... 354 0828
M, 1 Nita Ct,Burnt Ash Hl SE12 0LJ ... 851 3028
M, 1 Hill Ct,Canadian Av SE6 ... 690 7530
M, 55 Christian Flds SW16 3JU ... 764 1427
M, 111 Claxton Gro W6 8HB ... 385 3659
M, 47 Clement Clo NW6 7AN ... 459 7423
M, 37 Collingwood Av N10 3EH ... 444 4718
M, 119 Cottingham Rd SW8 1LG ... 735 5346
M, 52b Elizabeth Av N1 3BH ... 226 6728
M, 13 Enmore Gdns SW14 8RF ... 876 6704
M, 23 Fanthorpe St SW15 1DZ ... 789 0559
Maldwyn, 993 Forest Rd E17 4BP ... 531 3262
Moss, 1 Foxgrove N14 7EA ... 886 1877
M, 2 The Chiltons,Grove Hl E18 2JQ ... 530 7847
M, 126 Hailsham Av SW2 3AJ ... 677 1958
M, 5 Blackstone Ho, Kingswood Est SE21 8NY ... 761 0966
M, 29 Kinveachy Gdns SE7 8EE ... 854 1357
M, 8/492 Lea Bdge Rd E10 7DU ... 556 1100
M, 24/45 Leigham Ct Rd SW16 2NF ... 677 7405
Mark, 5 Mackenzie Trench Ho, Lillie Rd SW6 7PD ... 381 4516
M, 9 Ludham,Lismore Cir NW5 4SE ... 267 6437
M, 87 Luxborough Twr, Luxborough St W1M 3LG ... 935 6017
M, 47 Nunhead La SE15 3TR ... 732 4715
M, 69 Primula St W12 0RF ... 740 1091
Mildred, 51 Ridgdale St E3 2TN ... 980 2407
M, 40a St. Marys Rd NW10 4AY ... 965 9063
M, 86 Strathleven Rd SW2 5LE ... 978 8601
M, 11 Brinsley Ho,Tarling St E1 2PD ... 790 1946
M, 66 Thornhill Gdns E10 5EW ... 558 2512
M, 58 Warwick Rd E17 5NP ... 531 9174
M, 6 Waynflete St SW18 3QE ... 947 6297
M, 174 Wellfield Rd SW16 2BU ... 677 6037
M, 33 York Rse NW5 1SP ... 482 1350
M.A, 84 Eccles Rd SW11 1LX ... 350 1766
M.A, Evelyn Ho,Gunnersbury Av W5 ... 993 4179
M.A, 26 Sheldon Clo SE20 8LU ... 659 7807
M.C, 1 Whistler Wlk, World's End Est SW10 0EP ... 351 0806
M.C.H, 54 Colehill La SW6 5EG ... 731 3367
M.D.J, 143 Grierson Rd SE23 1NT ... 699 2174
M.E, 3 Sarah Turnbull Ho, Brewhouse Rd SE18 5SH ... 316 5503
M.E, 3 Fielding Ho,Devonshire Rd W4 2AR ... 995 5556
M.E, 130 Elibank Rd SE9 1QL ... 850 5952
M.E, 37 Fawe Pk Rd SW15 2EB ... 870 6128
M.E, 11 Lancaster Ct, Newman St W1P 3PB ... 636 4798
M.E, 38 Rose Gdns W5 4JX ... 840 0815
M.E, 5 Goldsmith Ct,Shepherds Hl N6 5AE ... 348 4512
M.Jessop, 28 Betstyle Rd N11 1JB ... 361 9400
M.J, 178 Crookston Rd SE9 1YE ... 850 9117
M.J, 6/23 Hereford Sq SW7 4TS ... 373 7637
M.J, 97b Merton Hall Rd SW19 3PX ... 543 6231
M.J, 23 Surlingham Clo SE28 8NE ... 310 4680
M.J, 36 Wyndham Rd W13 9TE ... 840 2251
M.J.L, 49a Ringford Rd SW18 1RP ... 877 0657
Dr M.L, 2 Elsley Rd SW11 5LL ... 223 6811
M.L, 188 Valley Rd SW16 2XS ... 769 4253
M.M, 9 Healey Ho,Holland Gro SW9 6NF ... 820 0891
M.O, 15 Homecross Ho,Fishers La W4 ... 994 7324
M.R, 66 Bostall La SE2 0QS ... 310 2576
M.R, 2b Harpenden Rd SE27 0AE ... 670 7839
M.R, 31b Samos Rd SE20 7UQ ... 659 8310
M.R, 33 Cambridge Gdns, Sydney Rd N10 2LL ... 444 5379
M.T, 135 Rectory La SW17 ... 767 3800
M.V, 9 Anton St E8 2AD ... 241 4176
N, 33 Balcombe St NW1 6HH ... 262 4174

P, 19 Hillfield Ct,Belsize Av NW3 4BH ... 435 3395
P, E/42 Compayne Gdns NW6 3RY ... 328 6981
P, 140 Fellows Rd NW3 ... 586 2945
P, 27 Framfield Rd W7 1NG ... 567 1344
P, 127a Franciscan Rd SW17 8DZ ... 767 5233
P, 15 Highbury Hl N5 1SU ... 359 0173
P, 16 Howden Clo SE28 8HD ... 310 9514
P, 16 Palace Ct,Palace Rd SW2 3ED ... 674 7223
P, 53 Paulet Rd SE5 9HP ... 733 8416
P, 22 Weatherill Ct,Portland Rd, S SE25 4RP ... 654 8036
P, 1a Starfield Rd W12 9SN ... 740 5182
P, 62 Valiant Ho,Valley Gro SE7 8BE ... 853 5308
Canon Peter, 7 Temple West Mws, West Sq SE11 4TJ ... 735 5924
P.A, 19g Avenue Rd N6 5DJ ... 341 0461
P.A, 4/44 Greyhound Rd W6 8NX ... 381 9667
P.A, 48 Miriam Rd SE18 1RE ... 316 7473
P.A.K, 49 Alders Clo E11 3RZ ... 530 7415
P.B, 5/67 Deodar Rd SW15 2NU ... 870 9234
P.C, 22 Longstaff Rd SW18 4AY ... 870 5806
P.C, 48 Passfield Path SE28 8BT ... 311 3369
P.D, 28 Arundel Sq N7 8AS ... 607 7158
P.D, 64 Oakfield Rd N14 6LX ... 886 3785
P.D.G, 14 Mayfield Av N14 6DU ... 886 8396
P.E, 19 Stephenson Rd W7 1NN ... 575 0870
P.E, 96 Wade's Hill N21 1AJ ... 360 8098
P.G, 69 Hitchin Sq E3 5QF ... 980 5422
P.J, 37 Colin Cres NW9 6EU ... 205 7032
P.J, 22 Queen Ct,Queen Sq WC1N 3BB ... 833 0071
P.J, 106 Stondon Rd SE23 ... 699 4962
P.K, 35 Waverley Ct,Venner Rd SE26 5EE ... 659 0859
P.L, 110 Swan La N20 0PP ... 446 5729
P.M, 4/50 Boscombe Rd W12 9HU ... 749 2676
P.M, 63a St. Marys Rd W5 5RG ... 579 9773
P.N, 26 Weymouth Mws W1N 3FN ... 636 0460
P.R, 1 Goodwood Ct, Chestnut Rd SE27 9LQ ... 670 6040
Peter R, Meldreth,Vines Av N3 2QD ... 346 1231
P.S, 28 Wilton Rd SE2 9RH ... 310 0043
P.T, 170 Westmount Rd SE9 1XA ... 850 9235
P.V, 52 Cattistock Rd SE9 4AN ... 857 3826
P.W, 12 Blandford Cres E4 7NT ... 529 7455
Richard, 30 Ashden Wlk ... Tonbridge 351172
R, 74 Bargery Rd SE6 2LW ... 461 3899
R, 116 Barrowfield Clo N9 0HB ... 803 3023
R, 5/25 Barrowgate Rd W4 4QX ... 995 8681
R, 7 Bordon Wlk SW15 4JG ... 789 0960
R, 24 Connaught Av SW14 7RH ... 878 7635
R, 34 Edith Rd SE25 5PQ ... 684 3278
R, 84 Elgin Mans,Elgin Av W9 1JN ... 286 9585
R, 111 Fairbridge Rd N19 3HF ... 263 6451
R, 10 Flora Gdns W6 0HP ... 748 9318
R, 9 Colnbrook Ct, Hazelhurst Rd SW17 0TZ ... 672 5559
Ronald, 14 Holly Pk N3 3JD ... 346 4677
Roger, 51 Kidbrooke Gro SE3 0LJ ... 858 9777
R, 33a Kimber Rd SW18 4NR ... 870 5968
R, 6 Walter Green Ho, Lausanne Rd SE15 2HX ... 639 4510
R, 81 Lodge La N12 8JG ... 446 5998
R, 63 Whitby Ct,Parkhurst Rd N7 0SU ... 607 2398
R, 40 Plato Rd SW2 5UR ... 737 5785
R, 157 Reedham Clo N17 9PY ... 808 3944
R, 3 Rensburg Rd E17 7HL ... 521 9264
Richard, 30e Gloucester Ct Upper Montagu St W1 ... 262 0405
R, 6 Leopold Mws,Victoria Pk Rd E9 ... 985 0542
R.A, 52b Ridley Rd E7 0LT ... 519 2914
R.B, 18 Cromwell Gro W6 7RG ... 603 4373
R.C, 3 Ashchurch Pk Vill W12 9SP ... 740 8466
Richd.C, 20 Devonshire Rd SE9 4QP ... 851 5991
R.C, 80 James Hammett Ho, Ravenscroft St E2 7QJ ... 739 6886
R.D, 4 Southwell Rd SE5 9PE ... 326 1339
R.E, 145 Beauchamp Rd SE19 3DA ... 771 0843
R.E, 4 Crescent La SW4 9PU ... 720 5231
R.E, 77 Kemble Rd SE23 2DH ... 699 9822
R.E, 2/48a West Gn Rd N15 5NR ... 809 1164
R.F, 12 Tring Av W5 3QA ... 992 1377
R.G, 26 Arden Ho,Grantham Rd SW9 9DR ... 274 1024
R.G, 4 Langdale Mans, Thornton Rd SW12 0LH ... 674 2993
R.H, 10 Beechwood Gro, East Acton La W3 7HX ... 740 8357
R.H, 71a Lambton Rd SW20 0LW ... 946 3689
R.H, 94 Roding Rd E5 0DS ... 986 1648
R.H.E, 19 Mead Plat NW10 0PD ... 459 4405
R.J, 59 Keats Ho, Churchill Gdns SW1V 3HZ ... 834 7933
R.J, 73 Copperfield Mws N18 1PF ... 884 2854
R.J, 127 Croyland Rd N9 7BH ... 803 5146
R.J, 12 Denton St SW18 2JR ... 870 4886

S, 1 The Villas,Cutcombe Rd SE5 9RT ... 274 1421
S, 13 Denbigh St SW1V 2HF ... 828 6706
S, 167 Derington Rd SW17 ... 767 9213
S, 24 Earlham St WC2H 9LN ... 836 6386
S, 118 Farrant Av N22 6PE ... 889 4665
S, 74 Gladesmore Rd N15 6TD ... 800 0154
S, 76 Greatdown Rd W7 1JS ... 575 5008
S, 35 Hampstead Gro NW3 ... 794 5529
S, 66 Hazlebury Rd SW6 2NE ... 731 2917
S, 6 Islay Wlk N1 2QL ... 354 2740
S, 44 Keymer Rd SW2 3AP ... 769 0995
S, 118b Horatio Pl Kingston Rd SW19 ... 542 1305
S, 38 Leghorn Rd NW10 4PH ... 965 8342
S, 46 Lewisham Hl SE13 7EL ... 318 1626
S, 45 Lorne Rd N4 3RU ... 281 6909
S, 69 Oakwood Rd NW11 6RJ ... 455 0746
S, 36 Missenden,Roland Wy SE17 2HS ... 703 1027
S, 10 St. Anns Gdns NW5 4ER ... 267 1502
S, 7/32 St. Marys Rd SE15 2DW ... 358 1182
S, 122 Watchfield Ct,Sutton Ct Rd W4 4NE ... 994 1558
S, 4 Tabor Rd W6 0BW ... 748 7336
S.A, 10b Electric La SW9 8JT ... 733 1669
S.A.R, 21d Maygrove Rd NW6 2EE ... 452 1005
S.B, 4 Headley Ct,Worple Rd SW19 4HY ... 947 3910
S.E, 70 Broadfields Av N21 1AH ... 360 6759
S.E, 10 Thornwell Ct, Du Burstow Ter W7 2PR ... 567 5595
S.E, 31 Skomer Wlk N1 2QY ... 359 5402
S.F, 35 Nassau Rd SW13 9QF ... 748 3745
S.G, 16 Crescent Wy SW16 3AJ ... 764 8914
S.J, 50 Cranleigh Rd SW19 3LU ... 542 7120
S.J, 22 Deansway N2 0JF ... 444 0998
S.J, 86 Gloucester Av NW1 ... 722 3834
S.J, 38 Durston,Grafton Rd NW5 4RH ... 485 1230
S.J, 45 Hazeldean Rd NW10 8QT ... 965 1182
S.J, 8a Moyers Rd E10 6JQ ... 558 1844
S.J, 1 St. Ronans,Putney Hl SW15 ... 788 9763
S.J, 5b Woodborough Rd SW15 6PX ... 785 7180
S.L, 22e Highbury New Pk N5 ... 354 5059
Dr S.L, 1 Beverley Ho 133,Park Rd NW8 ... 586 2759
S.M, 108e Du Cane Rd W12 ... 740 9620
S.M, 24 Lytton Av N13 4EH ... 886 2605
S.M, 69 Ormiston Gro W12 0JP ... 740 0858
S.N, 43 Walnut Tree Rd SE10 9EU ... 853 3591
S.P, 32 Harberton Rd N19 3JR ... 263 3533
Do. ... 263 3534
S.R, 106a Larden Rd W3 7SX ... 743 0303
S.T, 87 Alfriston Rd SW11 6NR ... 223 7987
S.T.M, 3/19 Royal Cres W11 4SL ... 602 6866
S.V, 27 Benett Gdns SW16 4QE ... 764 7337
S.Y, 66 St.Stephens Clo E17 9NU ... 521 1602
Tony, 4/15 Collingham Rd SW5 0NU ... 370 5591
T, 18 Daleham Gdns NW3 5BU ... 794 3694
T, 6 Daniel Bolt Clo E14 6QL ... 987 2569
T, 50a Eccles Rd SW11 1LZ ... 228 7102
T, 36 Grange Rd W4 4DD ... 994 3558
Toby, 212 Page Gn Ter,High Rd N15 ... 801 7224
T, 12 Langler Rd NW10 5TL ... 969 9460
T, 171 Leathwaite Rd SW11 6RW ... 223 7562
T, 21 Milton Rd W7 1LQ ... 567 9475
T, 41 Moremead Rd SE6 3LR ... 698 1461
T, 7 Halliwell Ho,Mortimer Pl NW6 ... 328 4173
T, 4 Pole Hl Rd E4 7LZ ... 529 4481
T, 14 Princess May Rd N16 8DG ... 249 7483
T, 156 Rosendale Rd SE21 8LG ... 670 9184
T, 85 Wellfield Rd SW16 2BT ... 677 6491
T, 2 Woodlands Rd N9 8RT ... 804 2940
T, 73 Wynford Rd N1 9TY ... 833 0166
T.A, 2 Balmain Clo W5 5BY ... 840 4756
T.A, 1 Mowatt Clo N19 3XY ... 272 0141
T.A, 49 Southend Cres SE9 2SD ... 850 5603
T.D, 1a Dacre Gdns SE13 5RY ... 318 3194
T.F, 40 Anchor Ct,Carey Pl SW1V 2RT ... 828 3627
T.F, 9 Coalecroft Rd SW15 6LW ... 789 6401
T.G, 80 Chanctonbury Wy N12 7AB ... 445 9336
T.G, 26c Thorney Cres SW11 3TT ... 228 8364
T.H, 140 Annandale Rd SE10 0JZ ... 853 0596
T.H, 47 Park Rd E15 3QP ... 471 1100
T.J, 1a Broughton Rd SW6 2LE ... 384 2207
T.J, 118 Woolacombe Rd SE3 8QL ... 856 8998
T.K, 9 Blean Gro SE20 8QS ... 778 4989
T.K, 30 Westbury Rd SE20 7QH ... 659 2514
Thomas L, 31 Troutbeck,Albany St NW1 4EG ... 387 8789
T.M.L, 20a Blackheath Pk SE3 9RP ... 852 2850
T.R, 6 Corner Gn SE3 9JJ ... 852 8179
T.R, 112 Englefield Rd N1 3LQ ... 359 4656
T.R, 149 Gipsy Rd SE27 9QT ... 761 2774
T.R, 51 St. Josephs Va SE3 0XG ... 852 8179
T.R, 25 Thornaby Gdns N18 2AU ... 807 4195
T.S, 103 Ankerdine Cres SE18 3LD ... 856 4978
T.S, 62 Bellevue Rd W13 8DE ... 998 5145

Wm.G, 72 Woodyates Rd SE12 9JG ... 851 9108
W.H, 39 Church Av SW14 8NW ... 876 3110
W.J, 98 Clonmore St SW18 5HB ... 874 1221
W.J, 8 Kingfield St E14 9DD ... 987 4555
W.J, 50 Miriam Rd SE18 1RE ... 854 9206
W.J, 5 Rushden Gdns NW7 2PA ... 959 2067
W.J.H, 20 Barton Ho,Bow Rd E3 3AS ... 981 2627
W.L, 169 Prince George Av N14 4TD ... 360 2049
W.L.V, 3 Crescent La SW4 9PT ... 622 6564
W.N, 9 Claylands Rd SW8 1NU ... 582 5818
W.R, 119 Crystal Pal Rd SE22 9ES ... 693 6377
W.T, 2 Bushey Hall,Bushey Hl Rd SE5 8QG ... 703 4523
PRICE-BEECH C.W, 44 Lower Sloane St SW1W 8BP ... 730 6377
PRICE-BONFIELD L, 78b Hubert Gro SW9 9PD ... 738 7430
PRICE-DAVIES E.W, 134 Upper Clapton Rd E5 9JY ... 806 7159
Malcolm, 121a Northumberland Pk N17 0TL ... 801 6251
W, 19 Holmdene Av NW7 2LY ... 959 2239
PRICE-EVANS J, 24 Redston Rd N8 7HJ ... 341 2515
PRICE-FISHER M, 1/36 Sunderland Rd SE23 2QA ... 291 0148
PRICE-FRANCIS L.B, 39 Bowes Rd N13 4UX ... 881 1401
PRICE-JONES C, 16 Redan St W14 0AB ... 602 6630
PRICE-MCNAMARA L.M, 78 Merton Mans,Bushey Rd SW20 8DG ... 543 6911
PRICE-REES C, 28 Beck Rd E8 4RE ... 241 0644
J, 25c Roderick Rd NW3 2NN ... 485 0659
PRICE-SMITH M.C, 14 Alwyne Vill N1 2HQ ... 354 3417
PRICE-THOMAS F, 9 Shrapnel,SE18 ... 319 2897
PRICE-WHITE C.M, 19 Primrose Mans, Prince of Wales Dv SW11 4ED ... 720 1803
PRICHARD A.A, 2 Hollywood Rd SW10 9HY ... 351 9499
Dr A.J.N, 34 Kingsley Rd SW19 8HF ... 540 2912
Dr Brian N.C, 24 Lyford Rd SW18 3LG ... 870 3066
C, 69 Wellington Rd E7 9BY ... 555 2256
D, 133 Central Hl SE19 1BY ... 761 1480
D.J.R, 18 Thornhill Sq N1 1BQ ... 609 5433
E, 12 Burrmead Ct,Tanfield Av NW2 7RS ... 450 5038
E.J, 9 Thomas More Ho, Barbican EC2Y 8BT ... 588 6691
G.D, 40 Cheryls Clo SW6 2AY ... 736 1797
I, 799a Fulham Rd SW6 5HE ... 731 5510
J.D, 39 Lanchester Rd N6 ... 883 7567
John F, 2/11 Chester Wy SE11 4UT ... 735 4349
L, 36 Wildcroft Manor,Wildcroft Rd, S SW15 3TT ... 785 4866
M, 22 Taplow,Adelaide Rd NW3 3NY ... 586 0049
M.E, 16 Wilson Rd E6 3EF ... 552 3108
Sir Norman,MSc,JP, 4 Rusham Rd SW12 8TH ... 673 5048
P, 14 Shrewsbury Ho, Cheyne Wlk SW3 5LN ... 584 4265
R.A, 82 Streathbourne Rd SW17 8QY ... 672 7505
R.D.C, 25 Longmore St SW1V 1JN ... 828 0919
R.H, 42 Hillhouse Rd SW16 2AQ ... 769 0395
S, 41 Percy Rd SE25 5NA ... 654 6828
S.E, 10 Rostrevor Rd SW6 5AD ... 736 4489
W.H, 125 Norbury Hl SW16 3SH ... 679 0157
PRICKETT C.S, 3/7 Westgate Ter SW10 9BT ... 373 6826
E, 405 Hood Ho,Dolphin Sq SW1V 3NH ... 821 1912
F, 22 Berwick Rd N22 5QB ... 889 0107
J.B, 7 Jeffreys Ct,Jeffreys Rd SW4 6QE ... 622 2329
J.E, 16 Reddings Clo NW7 4JL ... 959 6360
J.E.B, 5 Mattock La W5 5BG ... 567 3047
J.W, 14 Hillfield Rd NW6 1PZ ... 431 1688
K.S, 655 Lordship La N22 5LA ... 888 6486
Lt.Cdr M.J, 26 Paveley Dv SW11 3TP ... 223 8144
Paul, 3 Charlwood Pl SW1V 2LX ... 834 1709
P, 45 Shakespeare Rd NW7 4BA ... 906 1454
R, 37a Burghley Rd N8 0QG ... 881 3873
S.J, 1/60 Loveridge Rd NW6 2DT ... 328 7827
S.L, 140 Woolacombe Rd SE3 8QN ... 856 1585
PRICKMAN M, 59 Allen Rd E3 5JY ... 981 4841
T, 55 Wilmot St E2 0BS ... 739 1843
PRICTOE J, 43 St. Benedicts Clo SW17 9NX ... 672 3297
PRICTOR D.B, 282 Well Hall Rd SE9 6UG ... 856 0066
PRIDAKOVIC L, 6/35 Scrubs La NW10 6AA ... 968 3424
PRIDAY B, D/44 Chepstow Vill W11 2QY ... 221 8152
Charles, 13 St. Peters St N1 8JD ... 359 4337
Christopher, 29 Tedworth Sq SW3 4DP ... 352 4492
C.A, 2 Vanbrugh Ter SE3 7AP ... 858 1460
C.N.E, 13 St. Peters St N1 8JD ... 359 4337
E.E, 121 Gloucester Av NW1 8LB ... 586 2429
E.M.B, 12 Waldemar Av SW6 5NA ... 736 9032
I, 37 Lacock Ct,Singapore Rd W13 0UQ ... 579 2543
K.H, 239a Cavendish Rd SW12 0BP ... 675 6349

Sprog og design

Den grafiske designers opgave er traditionelt at sætte skik - visuelt - på ord, der er valgt og sammensat af andre. Ofte forekommer der et vandtæt skot mellem dem, der skaber den verbale, og dem, der skaber den visuelle del af budskabet.

Adskillelsen af det verbale og det visuelle, der dog gerne skulle gå op i en højere enhed, fortsætter i design-manualerne, der traditionelt holder sig til det rent visuelle. Kun undtagelsesvis vises brevark med ifyldt tekst.

Adskillelsen er kunstig, thi tæt samarbejde mellem forfatter og grafiker er ofte forudsætning for et vellykket resultat. Det samarbejde lettes af, at mange forfattere har fin sans for det visuelle og omvendt.

I Canada har forbundsstaten udarbejdet et design-program, hvori den sproglige side af sagen spiller en væsentlig rolle. Designmanualen indeholder simpelthen regler for, hvordan offentlige ydelser præsenteres verbalt. For eksempel lægges der vægt på, at navne på kontorer og lignende reflekterer det, som er relevant for brugerne, snarere end kontorets plads i forbundshierarkiet.

I øvrigt indgår der et sprogligt element i målet for Canadas føderale design-program, nemlig ligestilling af de to officielle sprog. Netop denne ligestilling stiller de største krav til grafikernes opfindsomhed. Hvordan undgår man at skrive ting, som er ens på engelsk og fransk, to gange?

Language and design

The traditional task of the graphic designer has been to put shape - visually - onto words which have been chosen and put together by others. Very often a watertight barrier appears between those who have created the verbal and those who have created the visual parts of the message.

The separation of the verbal and the visual which, after all, should form a whole, continues in the design manuals which traditionally keep to the purely visual. It is an exception to see letterheads where the text is filled out.

This separation is artificial as close cooperation between author and graphic designer is often a precondition for a successful result. This cooperation is often helped by the fact that many authors have a keen sense of the visual and vice versa.

In Canada the federal government has worked out a design programme where the linguistic side of the matter plays a major role. The design manual simply contains rules as to how public services are to be presented verbally. For example it is emphasized that the names of offices and the like should reflect what is relevant for the user rather than the position of the office in the federal hierarchy.

There is, moreover, a linguistic element in the aim of Canada's federal design programme, namely the equality of the two official languages. It is precisely this equality that makes the greatest demands on the creative abilities of the graphic designers. How does one avoid writing things which are the same in English and French, twice?

Selecting the markings

Described here is the system of markings intended to meet common requirements, simplify procurement, and achieve standardization. The system provides for a range of sizes and specific relationships between signature and wordmark when placing the markings on the front doors.

For ease of reference, a code has been established for each standard size; i.e. S-1, S-2, S-3 stand for different x-heights used for the signature, and C-1, C-2 and C-3 refer to sizes of the wordmark. These codes are also used on the order form. The standard sizes are shown in **Figure** 8.

Sélection des repères d'identification

La présente section décrit le système de marquage conçu pour répondre aux exigences courantes, simplifier l'acquisition et réaliser la normalisation. Le système prévoit toute une gamme de corps et de rapports précis entre la signature et le mot-symbole pour les repères qui sont apposés sur les portières avant d'un véhicule.

Pour faciliter la consultation, un code a été établi pour chaque corps standard; S-1, S-2, S-3 indiquent les différentes hauteurs «x» utilisées pour la signature, et C-1, C-2 et C-3 se rapportent aux corps du mot-symbole. Ces codes sont utilisés également sur le formulaire de commande. La **figure 8** illustre les corps standard.

Fig. 8
Standard sizes (shown at 20% of actual size).
Corps standard (présentés à 20 p. cent de leur grandeur réelle).

S-1 Public Works Canada / Travaux publics Canada — 10 mm

S-2 Public Works Canada / Travaux publics Canada — 12 mm

S-3 Public Works Canada / Travaux publics Canada — 15 mm

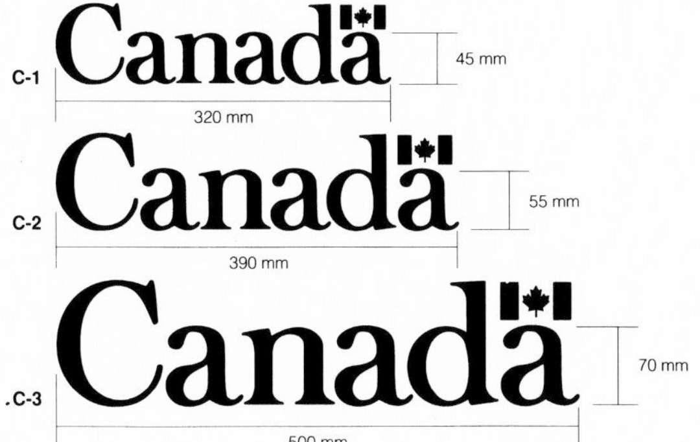

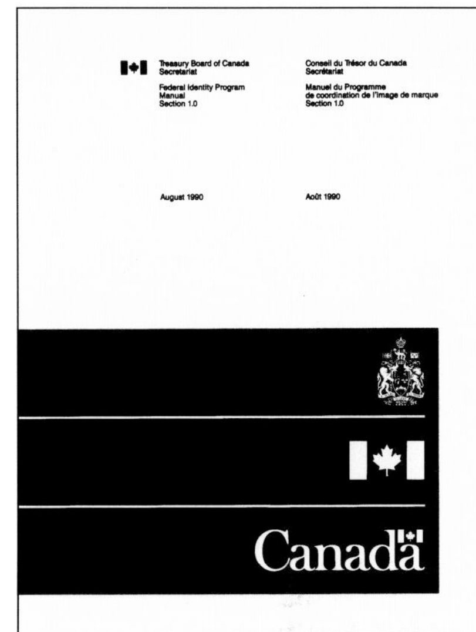

Canadas design-program omfatter både visuelle og verbale former, CAN.

The design programme of Canada includes visual as well as verbal forms, CAN.

Museal grafik

Museers opgave er at indsamle, bevare og fremvise. Forskellige museer lægger forskellig vægt på de tre mål og dermed også forskellig vægt på, hvor tilgængeligt for publikum museet skal være. Skal museet være et sted, hvor forskere og kustoder kan leve et fredfyldt liv i splendid isolation, eller et sted, der summer af et stort - somme tider forudsætningsløst - publikum?

Ledelsen af Musée d'Orsay, indrettet i den gamle Pariser-banegård, Gare d'Orsay, har klart taget parti for det store publikum. Stort tænkt arkitektur og suveræn grafisk design sikrer museet mindst det antal besøgende, de udstillede objekter fra Den anden republik (1848-1914) berettiger til.

D'Orsay-grafikkens iøjnefaldende grundelementer er skriftsnittet Walbaum og det rent typografiske bomærke. Dertil kommer en helt stram farveholdning, hvid, grå og sort, suppleret med rød, brun og grøn i skiltningen.

De grafiske elementer leder og vejleder den besøgende fra den første og største skiltning via billet og katalog til de enkelte værkbetegnelser. Arkitekturen og grafikken begrunder i sig selv et besøg i den ombyggede banegård.

Museum graphics

It is the duty of museums to collect, preserve and display. Different museums place different emphasis on these three goals and thus also different emphasis on how accessible the museum should be to the public. Should the museum be a place where researchers and custodians can live peaceful lives in splendid isolation or a place humming with a large - and sometimes quite ignorant - public?

The management of the Musée d'Orsay, in the old Parisian railway station, the Gare d'Orsay, have come down clearly on the side of the public at large. Grandiose architecture and supremely skilled graphics ensure that the museum will attract at least the number of visitors that the objects on show from the Second Republic (1848-1914) are entitled to.

The eye-catching basic elements of the d'Orsay graphics are the typeface, Walbaum, and the purely typographical logo. In addition there is the stringent colour combination of white, grey and black supplemented by red, brown and green on the signs.

The graphic elements lead and guide the visitor from the first and largest sign, via ticket and catalogue and to the signs on the individual exhibits. The architecture and the graphics in themselves justify a visit to the renovated station.

**Bomærke,
Musée d'Orsay.
Paris, F.
Design:
Jean Widmer,
Bruno Monguzzi.**

**Logo,
Musée d'Orsay.
Paris, F.
Design:
Jean Widmer,
Bruno Monguzzi.**

Musée d'Orsay
Carte blanche 89

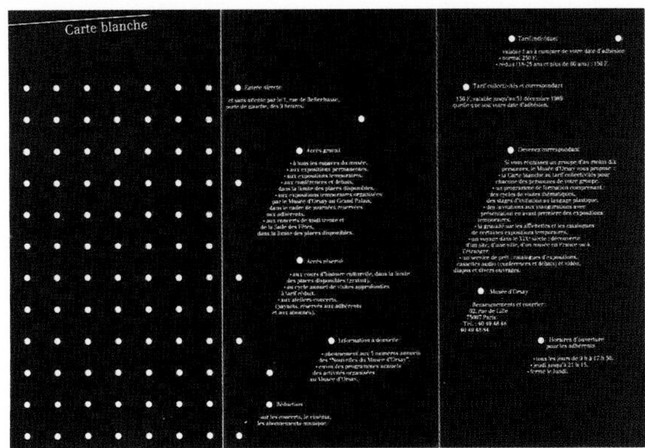

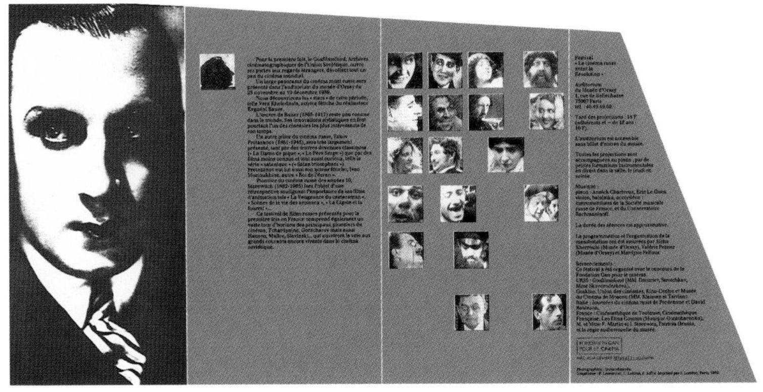

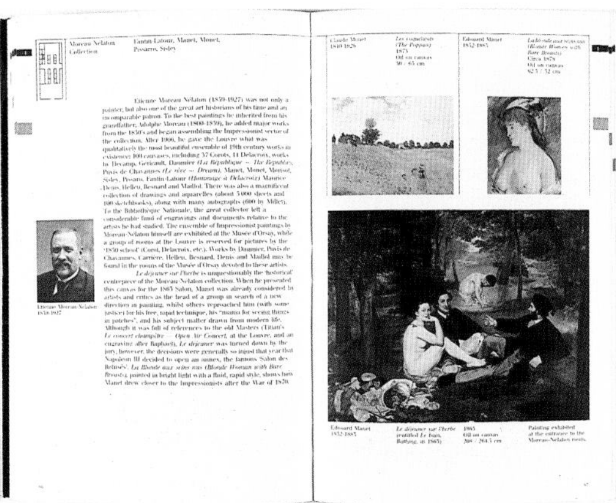

Brochurer og katalog, Musée d'Orsay. Paris, F. Design: Jean Widmer, Bruno Monguzzi.

Brochures and catalogue, Musée d'Orsay. Paris, F. Design: Jean Widmer, Bruno Monguzzi.

En tillidssag

Moderne pengevæsen bygger på tillid. Dengang kongens mønt var af guld, kunne enhver se sine penge efter, veje dem, bide i dem og på anden måde kontrollere deres lødighed. Møntens værdi og metallets pris var én og samme sag.

Senere, da guldet erstattedes af mindre ædle metaller, hvis værdi var mindre end mønternes pålydende, og af papirpenge, hvis genbrugsværdi nærmede sig nul, måtte der en god portion tillid til for at få gang i cash flow'et.

Den tillid, som kræves, er dobbelt. For det første må brugeren nære en generel (somme tider helt uforståelig!) tillid til den seddeludstedende myndighed og til dem, som står bag, dvs landets nationalbank og finansminister.

For det andet må brugeren have tillid til den enkelte seddels rigtighed. Falskmøntneri har eksisteret, så længe der har eksisteret penge, hvis pålydende værdi oversteg deres fremstillingspris.

I dag er alle moderne pengesedler svært efterlignelige. Ligeledes har de fleste lande fundet ud af at lave sedlerne så forskellige, at svagtseende og blinde kan være med.

Ud over den pålydende værdi og ud over en eventuel genbrugsværdi KAN penge, mønter og sedler have en kunstnerisk værdi.

A matter of confidence

Modern monetary systems are built on trust. When royal coinage was of gold, everyone could examine their money, weigh it, bite it and check its purity in other ways. The weight of coins and the value of their substance were one and the same thing.

Later, when gold was replaced by metals worth less as bullion than the denominations on the coins, and by paper with virtually no intrinsic value, much trust was needed to keep the money flowing.

Individuals need a double trust in bank notes: firstly a general (if sometimes wholly inexplicable!) trust in the body that issues them, and in those from which its authority derives, that is to say the central bank and minister of finance.

Then one has to trust that each note is genuine. Counterfeit money has existed ever since the nominal value of monetary tokens first exceeded their value as bullion.

Nowadays, all bank notes are hard to counterfeit. At the same time, most countries issue notes that vary enough in size for poor-sighted and blind people to distinguish between them.

Over and above its nominal value and apart from any recycled value, coins and notes CAN have artistic value.

de nederlandsche bank
tweehonderd vijftig
gulden
het bankbiljet van 250 gulden
vuurtoren
WAAR
MOET U OP LETTEN
WHAT TO LOOK FOR
on the 250-guilder banknote
250

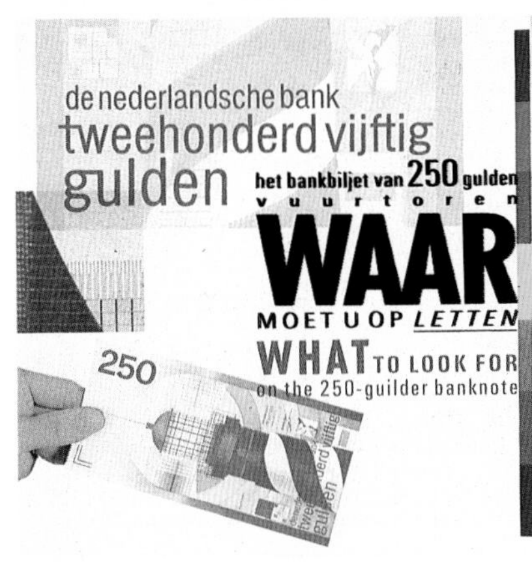

Brochure om hollandske pengesedler, NL. Design: R.D.E. Oxenaar.

Brochure on Dutch bank notes, NL. Design: R.D.E. Oxenaar.

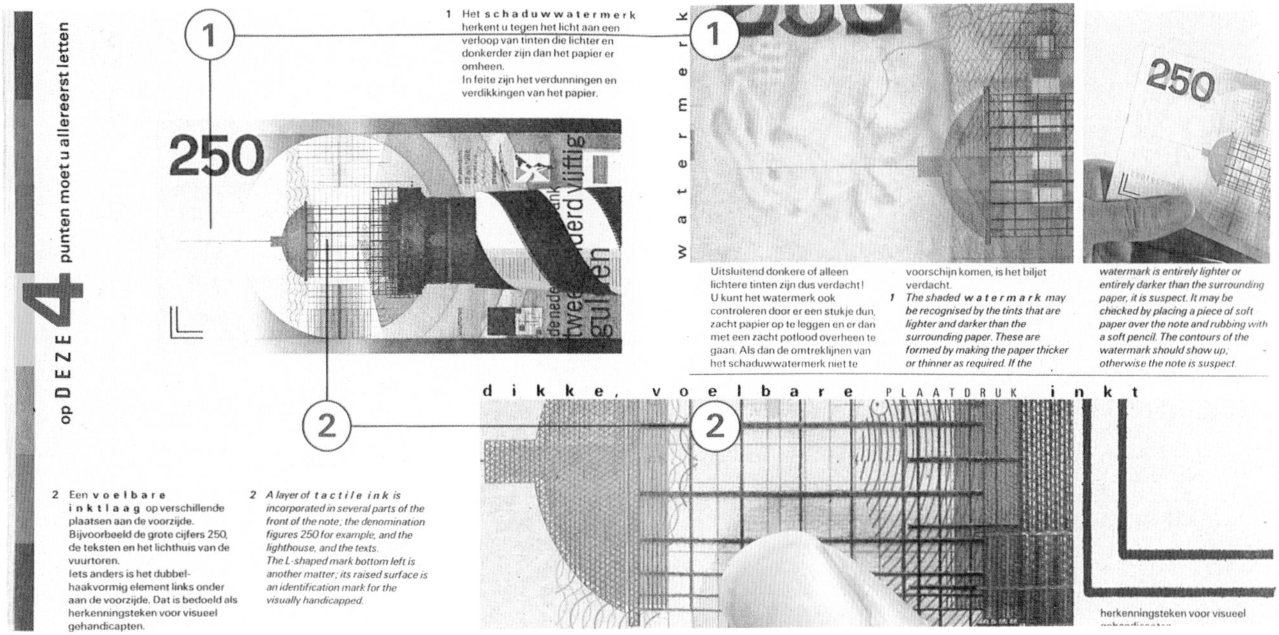
op DEZE 4 punten moet u allereerst letten
1 Het schaduwwatermerk herkent u tegen het licht aan een verloop van tinten die lichter en donkerder zijn dan het papier er omheen.
In feite zijn het verdunningen en verdikkingen van het papier.
250
watermerk
Uitsluitend donkere of alleen lichtere tinten zijn dus verdacht! U kunt het watermerk ook controleren door er een stukje dun, zacht papier op te leggen en er dan met een zacht potlood overheen te gaan. Als dan de omtreklijnen van het schaduwwatermerk niet te voorschijn komen, is het biljet verdacht.
1 The shaded watermark may be recognised by the tints that are lighter and darker than the surrounding paper. These are formed by making the paper thicker or thinner as required. If the watermark is entirely lighter or entirely darker than the surrounding paper, it is suspect. It may be checked by placing a piece of soft paper over the note and rubbing with a soft pencil. The contours of the watermark should show up; otherwise the note is suspect.
dikke, voelbare PLAATDRUK inkt
2 Een voelbare inktlaag op verschillende plaatsen aan de voorzijde. Bijvoorbeeld de grote cijfers 250, de teksten en het lichthuis van de vuurtoren.
Iets anders is het dubbel-haakvormig element links onder aan de voorzijde. Dat is bedoeld als herkenningsteken voor visueel gehandicapten.
2 A layer of tactile ink is incorporated in several parts of the front of the note; the denomination figures 250 for example, and the lighthouse, and the texts.
The L-shaped mark bottom left is another matter; its raised surface is an identification mark for the visually handicapped.
herkenningsteken voor visueel

Dansk
én-centimeter-kort.
Kort- og Matrikelstyrelsen, DK.

Danish
one centimetre map.
The National Survey and Cadastra, DK.

På vejen

For lidt information, for megen information, forkert information, for dårligt struktureret information. Sådan lyder de fire hyppigst forekommende forklaringer på dårlig information. God information er andet og mere end et bestemt kvantum data.

Automobilkort illustrerer så godt som noget problemerne omkring god, dvs relevant information. For få oplysninger og for mange oplysninger kan opleves på ét dårligt struktureret kort.

Kortets målestok er af og til bestemt af sagen uvedkommende forhold. I Danmark udgives automobilkort for eksempel hyppigt i målestok 1: 505.000, ikke bestemt af bilisternes særlige behov, men af den omstændighed, at der skal betales en statsafgift for kort i målestok 1: 500.000 og derunder.

Et godt kort for bilister, hvis interesser strækker sig videre end til motorveje og rastepladser, er Kort- og Matrikelstyrelsens én-centimeter-kort, dvs kort i målestok 1: 100.000, én centimeter på kortet svarer til én kilometer. Det er mål, som vi kender og kan bruge uden hjælp af måleredskaber. Kortets udvalg af signaturer hjælper den vejfarende til at læse landskabet som en velskrevet bog.

On the road

Too little information, too much information, the wrong information, information that is badly structured. This is what the four most frequent sources of bad information are called. Good information is something other and better than a certain quantity of data.

Road maps illustrate as well as anything else the problem connected with good, i.e. relevant information. Too little and too much information may often be met within one badly structured map.

The scale of the map is occasionally decided by conditions irrelevant to the case. For example in Denmark road maps are often published on a 1: 505,000 scale not because of the special needs of car drivers but because duty has to be paid on the production of maps on the scale of 1: 500,000 and under.

The one centimetre maps of the National Survey and Cadastra, Denmark, i.e. maps on the scale of 1: 100,000, where one centimetre corresponds to one kilometre - are a good buy for motorists who are interested in more than motorways and lay-bys. We know these measurements and we can use them without the help of instruments. The signs used on the map help the traveller to read the landscape like a well written book.

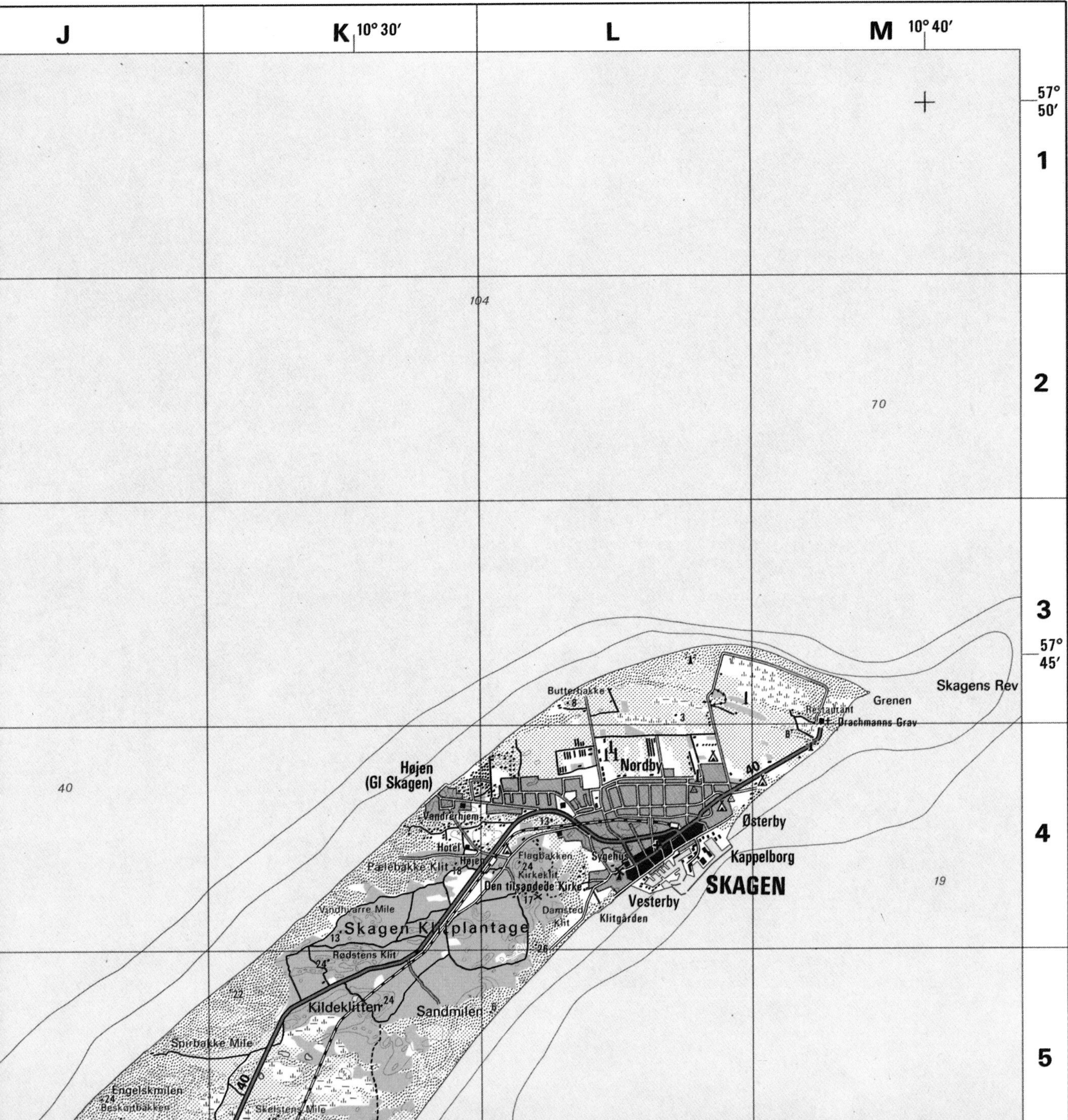

J
K
10° 30′
L
M
10° 40′
57° 50′
1
2
3
57° 45′
4
5
104
70
40
19
Skagens Rev
Grenen
Restaurant
Drachmanns Grav
Butterbakke
Nordby
Højen
(Gl Skagen)
Vandrerhjem
Hotel
Højen
Pælebakke Klit
Flagbakken
Sygehus
Kirkeklit
Den tilsandede Kirke
Østerby
Kappelborg
SKAGEN
Vesterby
Klitgården
Damsted Klit
Vandhvarre Mile
Skagen Klitplantage
Rødstens Klit
Kildeklitten
Sandmilen
Spirbakke Mile
Engelskmilen
Beskatbakken
Skelstens Mile
40

p 11 London
Per Mollerup

p 13 DSB
Stig Nørhald

p 15 Venezia
Per Mollerup

p 17 New York
Per Mollerup

p 19 København
Stig Nørhald

p 23 Hobro, København
Stig Nørhald

p 25 Venezia
Per Mollerup

p 27 Zürich
Per Mollerup

p 29 London
Per Mollerup

p 29 København
Stig Nørhald

p 31 Carlsberg
Jens Frederiksen

p 31 Landbohøjskolen
Klaus Fænø

p 33 New York
Per Mollerup

p 35 London
Per Mollerup

p 35 København
Klaus Fænø

p 35 Bath
Per Mollerup

p 37 Gentofte
Jens Frederiksen

p 37 New York
Per Mollerup

p 39 København
Stig Nørhald

p 41 København
Stig Nørhald

p 43 New York, Venezia
Per Mollerup

p 45 Paris, Bath, Sapporo,
London, Berceley, Sao Paulo,
Aspen, Nykøbing Falster, New York
Jens Bernsen

p 45 København
Dansk Design Center

p 49 Bath
Per Mollerup

p 51 Oslo
Odd Thorsen

p 53 København
Stig Nørhald

p 55 Venezia
Per Mollerup

p 56 Stockholm
Fabio Galli

p 57 Stockholm
Hans Ekestang

p 59 London
Per Mollerup

p 62/63 Zürich
Per Mollerup

Fotografer
Photo credits

p 65 TGV
1. Patrick Olivain
2. Jean Marc Fabbro
3. Jean Marc Fabbro
4. Patrick Olivain
5. Bruno Vignal
6. Patrick Olivain
7. Bruno Vignal

p 67 MF Kronprins Frederik
Jens Frederiksen

p 71 London, New York
Per Mollerup

p 73 Zürich
Per Mollerup/
Atelier Rolf Weiersmüller

p 75 New York
Pentagram

p 77 IC3
Stig Nørhald/Stig Nørhald/DSB

p 79 Concorde
British Airways

p 87 Søllerød
Jens Bernsen

p 87 Postkasse
Claus Ørsted

p 89 Mailbox
Stig Nørhald

p 91 Gladsaxe
Jens Frederiksen

p 93 København
Stig Nørhald

p 95 Vejskilt
HC Ericson

p 97 Ren rejse
Stig Nørhald

p103 Uniform
Stig Nørhald

p115 New York
Per Mollerup

I love Central Park.
New York, USA.